다이어트&비만 치료 50문100답 -

가정의학과 전문의
VS 인공지능

김유현 지음

 열린 인공지능

다이어트&비만 치료 50문100답 –
가정의학과 전문의 VS 인공지능

발행	2024년 4월 15일
저자	김유현
디자인	어비, 미드저니
편집	어비
펴낸이	송태민
펴낸곳	열린 인공지능
출판사등록	2023.03.09(제2023-16호)
주소	서울특별시 영등포구 영등포로 112
전화	(0505)044-0088
E-mail	book@uhbee.net
ISBN	979-11-94006-11-4

www.OpenAiBooks.com

다이어트&비만 치료 50문100답 -

가정의학과 전문의
VS 인공지능

김유현 지음

 열린 인공지능

차례

머리말

자기소개

3장
무엇을 어떻게 먹어야 살이 빠질까? (식이요법)

머리말

정보가 넘쳐나는 시대, 우리에게는 이제 정보를 찾고 기억하는 능력을 넘어서 신뢰할 수 있는 정보를 구분해낼 수 있는 능력이 필요합니다. 다이어트와 비만에 관해서는 상반된 조언을 제공하는 수많은 전문가와 기적적인 결과를 주장하는 수많은 건강보조식품 그리고 다이어트약까지. 체중 감량 관련한 정보 혹은 광고들이 온라인에서는 유튜브 영상, 기사 그리고 커뮤니티 게시글로, 오프라인에서도 광고전광판으로 계속 따라다닙니다. 이런 정보들은 건강을 찾는데 도움이 되기보다는 길을 더 잃어버리게, 또 포기하고 싶은 마음이 들게 만듭니다.

이 책 <다이어트 & 비만 치료 50문 100답 - 가정의학과 전문의 VS 인공지능>은 제목 그대로 최첨단 인공지능 채팅 프로그램의 답변과 가정의학과 전문의의 답변을 함께 담은 책입니다.

아무리 전문의라고 하더라도 한 명의 의견만을 들으면서는 과연 이야기가 맞을까 하는 의문이 들 수 있습니다. 그 부분에 대해서 인공지능 챗GPT가 제공하는 정보를 비교하면서 보완할 수 있습니다.

또한 챗GPT가 정리한 의학적 정보와 함께 비만환자를 치료하고 있는 14년차 의사이자, 소아비만에서 현재도 비만인으로 비만치료를 직접 받고 있는 작가의 경험을 통해서는 위로와 응원을 받을 수 있습니다.

비만과 체중 감량의 기초부터 다양한 식단의 효과, 운동의 역할, 의학적 및 수술적 치료에 이르기까지 다양한 주제를 아우르는 50개의 질문을 정리하였습니다. 그 답변들을 통해서 나에게 맞는 체중과 건강관리 방법을 찾아가길 바랍니다.

이 책을 쓰는 저의 바람은 독자들이 체중 및 건강 관리의 여정에서 저처럼 많은 시행착오를 겪지 않는 것입니다. 그를 위해 사람들이 가장 많이 궁금해하는 주제를 찾고, 비만과 체중 감량에 대해서 근거가 바탕이 된 결정을 내리기 위해 필요한 지식과 도구를 독자들에게 제공하기 위해 노력했습니다. 그리고 단순한 정보의 나열보다도 체중 관리 혹은 비만치료를 시작하는 사람들에게 실행 가능한 팁과 전략을 제공할 수 있는 지침서로 활용될 수 있기를 바랍니다.

본인에게 잘 맞는 방법을 하나씩 실천해보면서 스스로를 건강하게 돌보는 행복한 도전을 시작하시기를 바랍니다.

<본 도서는 오픈AI(https://chat.openai.com)의 챗GPT4의 내용을 답변으로 활용하여 글쓰기를 했으며 전체 디렉팅과 전문의로서의 의견은 저자인 김유현이 진행하였습니다.>

저자소개

김유현 작가는 독특한 이력을 가진 열정적인 의사이다. 소아비만에서 시작해서 의사면허를 딸 때까지도 비만인 상태였다. 인턴생활을 하며 체중이 100kg를 넘어버렸고, 일반적으로 진행하는 레지던트과정을 밟지 않는 대신 스스로의 건강을 돌보는 시간을 가졌다.

비만치료에 대해서 공부와 함께 운동에 대한 공부도 진행했고, 생활스포츠지도사 자격까지 취득했다. 이렇게 건강한 라이프스타일을 찾아가는 과정에서 다른 비만인들에게 경험과 지식을 공유하기 위해서 '다이어트하는 닥터, 다닥유현'이라는 닉네임으로 블로그와 유튜브 채널을 개설하고 활동을 이어오고 있다.

가정의학과 전문의를 취득하면서는 비만 클리닉 개원을 염두에 두고 있었다. 그렇지만 비만의 치료에 대해서 더 많은 사람들에게 도움을 주기 위해서는 병원 하나, 의사 한 명으로 부족하다는 사실을 깨닫고 여러 의사 선생님들과 함께 올바른 비만 정보를 확산시키기 위해서 창업에 뛰어들었다. 예비창업패키지, 청년창업사관학교,

사회적기업가 육성사업을 거쳐 2022년 '같이건강 사회적협동조합'을 설립하였다. 같이건강 사협을 통해서는 의사 중심이 아닌 비만환자 중심의 활동을 진행하고 있다.

비만에 대한 사회적 인식 개선을 위해서 이론에 치중된 의사회 혹은 학회 활동에서 벗어나 비만인이 함께 하는 'Bsmile - 비만인을 웃을 수 있게' 캠페인을 진행하고 있다. 다양하고 멋진 비만인의 모습을 보여주기 위한 '비만을 아는 우리의 이야기' 콘텐츠, 비만을 경험한 사람들에게 공감대와 소속감을 제공하기 위해 오프라인 행사와 온라인 커뮤니티(같이건강 네이버 카페)등의 활동을 하고 있다. 추후 비만인을 위해 더 큰 영향력을 가질 수 있도록 비만 환자단체로 도전도 고려하고 있다.

"Be who you needed when you were younger. 당신이 어렸을 때 필요로 했던 사람이 되어라."

개인적인 경험을 바탕에 전문 지식을 결합하여 비만으로 어려움을 겪고 있는 사람들에게 지속적이고 긍정적인 변화를 일으키고자 다방면의 활동을 하고 있는 의사 김유현. 본인이 어렸을 때 필요로 했던 어른이 되기 위해서 꾸준히 노력 중이다.

SMILE

1장

챗GPT와 의사가 정리한
50문 100답소개

대화형 인공지능서비스인 챗GPT의놀라운 답변 능력은 의사들 단톡방에서도 화제였습니다. 특히 미국 의사면허인 USMLE를 챗GPT가 합격했다는 소식 때문에 '의사는 결국 인공지능으로 대체될 거다' '빨리 내시경이나 피부미용 같은 술기를 배워야 한다' 등 비관적인 톡들도 지나갔습니다.

그동안 의료에 있어 인공지능은 의사를 대체하기보다는 의사의 의료적 결정과정을 보완하는 역할을 해줬습니다. 제가 근무하고 있는 병원에서도 안저검사 판독 등에 인공지능을 활용하고 있기에, 인공지능은 의사들이 효율적으로 진료를 할 수 있게 도와주는 정도로 생각했습니다.

가정의학과 전문의이자 건강검진 센터에서 종합검진 결과 상담을 하고 있는 의사로, 제가 가장 좋아하고 또 잘하는 분야는 바로 환자 교육입니다. 환자들이 이해하기 쉽게 풀어서 또 다양한 예시를 들어가면서 설명해주는 것은 만성질환을 관리하는 일차진료 의사에게는 매우 중요한 능력이기도 합니다.

그런 상황에서 전문적인 정보에 대해서 이해하기 쉽게 더욱 다양한 사례를 바탕으로 설명할 수 있는 챗GPT의 능력은 저를 긴장하게 했습니다. 그동안 전문의와 환자들 사이의 통역을 하는 역할이라고 생각하면서 네이버 블로그와 유튜브, 틱톡 등의 콘텐츠를 쌓아왔는데, 챗GPT라는 인공지능 채팅프로그램의 등장으로 내가 기계로 대체될 수 있다는 느낌이 확 와닿았습니다.

인공지능 채팅프로그램은 사람들이 궁금한 부분에 대해서 나보다 더 많은 정보로 정확하고 이해하기 쉽게 정보를 정리해서 알려줄 것 같았습니다. 게다가 여러 번 똑 같은 것을 물어보아도 매번 친절하게 대답해주고, 24시간 언제 어디서나 답변을 해준다는 부분도 절대 제가 따라가지 못하는 부분이니까요. 그렇게 인공지능은 내 경쟁사라는 선입견이 있었습니다. 그러다 직접 활용을 해보면서는 좋은 정보의 확산을 위한 저의 다양한 활동에 힘을 실어줄 능력치가 높은 조력자로 다시 볼 수 있었습니다.

결국, 챗GPT4로 업그레이드되자마자 다이어트와 비만치료에 대해서 질문을 잔뜩 던져보았고, 그 내용을 바탕으로 책을 쓰기 시작했습니다. 다이어트와 비만, 식이요법, 운동요법, 약물치료, 수술치료 5가지 분야별로 10개씩 질문을 정리했고, 각 질문별로 답은 챗GPT4와 저의 답 한 개씩 넣었습니다. 그래서 총 50문 100답으로 구성되어 있고, 이 방법을 통해서 인공지능의 관점과 인간의 의학적인 관점을 나란히 비교하여 확인해볼 수 있습니다. 인공지능의 의학적 판단 능력을 확인하기 위해서도 챗GPT4의 답변은 수정하지 않았습니다.

이 책에 포함된 50개의 질문은 챗GPT4에서 파악한 가장 자주 묻는 질문과 Google에서 가장 많이 검색된 검색어 그리고 사람들이 일반적으로 의사에게 가장 많이 묻는 질문들을 기반으로 신중하게 골랐습니다. 체중 감량 지침을 찾는 사람들의 가장 시급한 고민과 관심사를 다룰 수 있도록 고민을 많이 해서 9가지 질문을 정했고, 마지막 질문은 공과 사 모두비만과 치열하게 싸우고 있는 제가 독자들이 꼭 알았으면 하는 질문을 넣어서 10개의 질문지를 완성했습니다.

원래는 챗GPT4가 바로바로 답변을 해주는 만큼 저도 아무런 참고자료 없이 머릿속에서 나오는 대로 답변을 적으려고 했습니다. 그러다가 챗GPT4도 온라인 상의 정보를 바탕으로 답변을 하는 것이기에 저도 오픈북을 하는 것이 공평하다는 생각이 들어서 대한비만학회에서 나온 [비만진료지침 2022]를 참고하여 저의 답변을 정리했습니다.

이 책은 체중 감량과 비만 관리를 통해 건강을 개선하고자 하는 사람들의 의문을 해소해주며, 장기적인 건강관리에 도움을 주는 자료가 되었으면 합니다. 이 책을 꼼꼼히 읽으면서 다양한 치료 옵션과 전략에 대해서 더 깊이 이해하고, 나의 건강을 위해서 최선의 결정을 내리길 바랍니다.

2장

다이어트와 비만에 대해서 알려줘
(비만과 체중감량)

Q 01. 가장 효과적으로 살을 빼는 방법은 무엇인가요?

*챗GPT4의 답변:

체중을 감량하는 가장 효과적인 방법은 몇 가지 핵심 요소를 포함하는 균형 잡힌 접근 방식을 채택하는 것입니다. 과일, 채소, 저지방 단백질, 통곡물, 건강한 지방과 같은 전체 식품이 풍부한 균형 잡힌 식단에 집중하세요. 이렇게 하면 필수 영양소를 공급할 뿐만 아니라 일일 칼로리 섭취량을 관리하는 데 도움이 됩니다. 지속 가능한 체중 감량을 위해서는 적당한 칼로리 부족을 목표로 하는 것이 중요하지만, 지나치게 제한하면 영양 결핍이나 신진대사 둔화와 같은 부정적인 결과를 초래할 수 있으므로 너무 제한하지 않는 것이 중요합니다.

규칙적인 운동은 칼로리 소모, 근육량 유지, 전반적인 건강 개선에 도움이 되므로 규칙적인 운동도 필수입니다. 심혈관 운동과 근력 운동을 함께 하면 최적의 결과를 얻을 수 있습니다. 또한 습관을 바꾸고 음식과의 건강한 관계를 발전시키는 것이 장기적인 체중 관리의 핵심 요소이므로 행동 측면을 해결하는 것이 중요합니다.

*가정의학과 의사 김유현의 답변:

굉장히 교과서적인 이야기지요. 이런 뻔한 정답을 실제로 진료실에서 길게 말한다면 '이미 다 알고 있어요.'라는 대답을 듣거나 혹은 시간 낭비 그만하라는 표정을 보게 됩니다.

내 앞에 앉아있는 그 환자에게만 해당하는 구체적인 조언이 아니라면 환자들의 머릿속에는 입력이 잘되지 않습니다. 이건 꼭 의학적인 조언에만 해당하는 것이 아닙니다. 사주를 보러 갔을 때를 상상해보세요.

- 다음주에 곤란한 일이 생길 것 같으니까 정신 똑바로 차려.
- 다음주에 물건을 잃어버릴 수도 있으니 주머니 잘 챙겨.
- 다음주에 핸드폰이나 지갑을 잃어버릴 거야. 특히 밥 먹고 일어날 때 조심해.

아래로 내려올수록 누구에게나 하는 말이 아니라 정말 나에게 하는 말이라는 느낌이 들지요. 그만큼 머릿속에도 더 오래 남습니다.

환자가 없는 상태에서 듣는 가장 효과적인 다이어트 방법은 생년월일 제대로 모르는 사람의 사주를 보는 것과 같습니다. 모두에게 해당할 수 있는 포괄적인 이야기밖에 못 합니다.' 섭취 칼로리는 줄이면서도 균형 잡힌 식사를 하고 근력 운동과 유산소운동을 함께 해라.'라는 뻔하고 재미없는 조언을 하게 됩니다.

첫 비만진료 때 과거력, 생활습관, 체중변화에 관해서 확인하고, 체성분를 비롯한 여러 검사를 하는 이유가 비만환자의 현재 상태를 평가함으로써 그 환자에게 가장 도움이 될 수 있는 조언을 찾기 위해서입니다. 개인의 동기, 선호도, 현재 건강상태 등을 고려해서 '나에게 가장 효과적인 비만 치료 방법'을 찾는 것이 꾸준히 강조되는 맞춤형 치료입니다.

만일 혼자서 생활습관 변화를 도전하는 상황이라면, 이상적인 생활습관을 시작하는 것보다 현재의 모습을 기록하는 것부터 시작하시길 바랍니다. 완전히 다른 내가 아니라 한 발자국만 더 건강한 내가 되려면 현재 나의 상태를 아는 것이 중요합니다. 완전히 다른 나로 살기는 정말 쉬운 일이 아닙니다. 그리고 지속 가능한 생활습관이 결국 체중 감량보다도 어려운 체중 유지에 핵심이 되기 때문에 급격하게 말고 꾸준히 안 좋은 소소한 습관을 발견하고 교정해보세요.

매일 야식 치킨 한 마리를 먹어야 잠이 드는 사람이라면, 야식을 안 먹고 자려고 하면 잠도 안 옵니다. 오늘부터는 닭다리 하나는 꼭 남겨서 아침에 먹는 것부터 시작합시다.

Q 02. 가장 효과적으로 살을 빼는 방법은 무엇인가요?

* 챗GPT4의 답변:

비만의 원인은 유전석, 환경적, 행동적, 생리적 요인의 복잡한 상호작용을 포함하는 다인성 요인입니다. 유전학은 개인이 비만에 걸리기 쉽도록 하는 데 중요한 역할을 하지만, 체중 증가에 크게 기여하는 것은 생활 습관과 행동입니다. 고도로 가공되고 칼로리가 높으며 영양소가 부족한 음식을 통해 과도한 칼로리를 섭취하면 시간이 지남에 따라 체중이 증가할 수 있습니다. 신체 활동이 부족한 좌식 생활 습관도 칼로리 소비를 줄여 문제를 악화시킬 수 있습니다.

스트레스, 정서적 폭식, 사회적 지원 부족과 같은 심리사회적 요인도 체중 증가에 영향을 미칠 수 있습니다. 또한 호르몬 불균형, 특정 약물 및 건강 상태도 비만의 원인이 될 수 있습니다. 비만은 사람마다 다를 수 있는 다양한 근본 원인이 있는 복잡한 건강 문제라는 점을 인식하는 것이 중요합니다.

*가정의학과 의사 김유현의 답변:

챗GPT4가 일반적인 책들에 비해서 확실히 똑똑합니다. 작년 같이건강 사회적협동조합의 활동 중 하나로 지역 보건소의 비만관리 전문인력을 위한 교육을 진행했습니다. 기본으로 제공되는 강의록에 비만의 원인을 양의 에너지 균형(더 먹고 덜 움직여서 에너지가 남아서 살이 찐다)으로만 설명되어 있었습니다.특히 비만환자들을 지역사회에서 만나게 될 분들이기에 비만의 특성에 대해서 잘못 알고 있으면 비만환자들의 건강에도 안 좋은 영향을 줄 수 있습니다. 그런 만큼 챗GPT가 정리해준 것과 비슷하게 식사량, 활동/운동량, 스트레스같이 개인의 노력으로 해결될 수 있는 부분 외에도 유전적, 환경적, 생리학적인 부분까지 다양한 요인들이 체중의 증가와 증가한 체중의 유지에 미치는 영향을 강조했습니다.

대한비만학회의 [비만진료지침 2022]에서도 비만의 발생에 작용하는 요인들을 확인할 수 있습니다.

'일차성 비만은 개체가 섭취한 에너지 총량과 소비하는 에너지 균형이 무너진 상태에서 체지방이 증가하여 발생한다. 여기에는 식사습관, 생활습관, 연령, 인종, 유전적 요인, 사회경제적인 요소, 신경 내분비 변화,장내 미생물,환경 화학물질 및 독소 등의 다양한 위험 요인이 복합적으로 관여하므로 한 가지 원인만으로 설명이 어려운 경우가 많다.'

이러한 요인들은 살을 찌게 만드는 것으로 끝나는 것이 아니라 한 번 비만 - 특히 고도비만이 되면 살을 빼는 것도 어렵게 만들고, 살을 빼더라도 다시 찌게 만듭니다. 생리학적인 변화로 인해서 100kg 이던사람이 60kg까지 체중을 감량했을 때, 그 체중을 유지하기 위해서는 원래부터 60kg였던 사람보다 더 많이 운동하고, 덜 먹어야 합니다. 물만 마셔도 살이 찌는 사람은 없더라도 같은 음식을 먹어도 살이 더 찌는 사람은 있습니다.이렇게 비만은 생활습관이나 의지만의 문제가 아니기에 나의 굳은 결심 하나로 극복하기가 쉽지 않습니다.

Q 03. 내가 과체중인지 비만인지
어떻게 확인할 수 있나요?

*챗GPT4의 답변:

과체중 또는 비만 여부를 판단하기 위해 의료 전문가는 종종 체질량 지수(BMI)를 선별 도구로 사용합니다. BMI는 체중(킬로그램)을 키(미터)의 제곱으로 나누어 계산합니다. 결과 값은 개인을 저체중, 정상 체중, 과체중, 비만으로 분류하는 데 사용됩니다.

자세한 내용은 다음과 같습니다:

- 저체중: BMI < 18.5
- 정상 체중: BMI 18.5-24.9
- 과체중: BMI 25-29.9
- 비만: BMI ≥ 30

하지만 BMI는 근육량과 지방량을 구분하지 않기 때문에 한계가 있습니다. 생체 전기 임피던스 분석(BIA)은 체지방률과 제지방량을 추정하여 체성분을 측정하는 데 사용되는 또 다른 방법입니다. 생체전기 임피던스 분석은 신체를 통해 약한 전류를 보내 발생하는 저항을 측정하는 방식으로 작동합니다. 지방과 근육은 저항 값이 다르기 때문에 BIA는 체성분을 더 정확하게 평가할 수 있습니다.

*가정의학과 의사 김유현의 답변:

체질량지수(BMI)는 체중과 키만으로 간단하게 계산이 가능하기 때문에 비만 환자의 진단을 위해 가장 많이 사용되는 기준입니다.

단, BMI를 활용한 비만의 진단 기준은 서양과 우리나라가 다릅니다.

챗GPT4는 전세계, 특히 영어 기반의 자료들이 기본이 되기 때문에 세계보건기구(WHO)의 비만 진단기준에 따라 BMI 30kg/㎡ 이상을 비만의 진단기준으로 설명했지만, 우리나라를 비롯한 세계보건기구 아시아 태평양 지역에서는 BMI 25kg/㎡ 이상을 비만의 진단기준으로 사용합니다.

우리나라나 일본의 사람들이 외모에 대한 기준이 더 엄격하거나, 날씬한 몸매를 더 좋아하기 때문은 아닙니다. 그보다는 우리나라 사람은 서양인보다 더 낮은 BMI와 허리둘레에도 당뇨병, 고혈압, 이상지질혈증 등의 질환 생길 가능성이 높기 때문입니다.

비만을 진단하는 이유는 비만인 사람에 대해서 비난하거나 부정적인 시선으로 바라보기 위한 것이 아닙니다. 그보다는 체중으로 인한 건강 위험요인을 평가하고, 위험이 높은 사람들을 발견하고 관리를 도와주기 위해서입니다.

　사실 BMI는 챗GPT4가 적은 것처럼 지방과 근육을 구분할 수 없다는 한계가 있습니다. 이 BMI의 한계를 보완하기 위해서 복부비만을 평가하기 위한 허리둘레를 함께 측정하는 경우가 많습니다. 복부비만을 진단하는 기준이 이 허리둘레를 역시도 세계기준과 우리나라의 기준이 다르고, BMI는 성별에 따른 기준이 다르지 않지만, 허리둘레는 남자와 여자 진단 기준이 다릅니다. 남자는 90cm, 여자는 85cm 기준으로 복부비만을 진단하고 BMI와 함께 비만환자에서 동반질환이 생길 위험성을 평가하게 됩니다.

분류	체질량지수 (BMI)	비만 동반 질환 위험도	
		<90cm(남) <85cm(여)	≥90cm(남) ≥85cm(여)
저체중	<18.5	낮음	보통
정상	18.5~22.9	보통	약간 높음
비만전단계	23~24.9	약간 높음	높음
1단계비만	**25~29.9**	**높음**	매우 높음
2단계비만	30~34.9	매우 높음	가장 높음
3단계 비만	≥35	가장 높음	가장 높음

　마지막으로 생체 전기 임피던스 분석(BIA), 역시 진료실뿐만 아니라 피트니스센터, 보건소 등에서 많이 활용하고 있습니다. 한 번도

못 들어봤다고 생각하실 수도 있지만 대부분은 한 번 이상 검사를 해보셨을 겁니다. 특히 저와 함께 비만으로 꾸준히 고민해오신 분이라면 셀 수 없이 받아보셨을 겁니다.

바로 '인바디'입니다. 인바디(InBody)는 생체 전기 임피던스 분석법을 활용한가장 대표적인 체성분 분석기입니다. 마치 직사각통에 담긴 휴지를 크리넥스라고 부르는 것처럼 고유명사로 인바디라고 부르고 있습니다.

체성분 측정기는 새로 나오는 모델일수록 기술도 업그레이드가 되어 오차도 적고 측정되는 내용도 늘어나고 있습니다. 그렇지만 측정 시간대가 다르거나 물이나 음식을 섭취하거나 운동한 직후면 이런 차이가 결과에 차이를 만들 수 있습니다. 그래서 가능한 같은 상태에서 측정하는 것이 중요하고, 수치 자체보다도 체중, 체지방량, 근육량의 변화 과정에 집중하는 편이 좋습니다.

마지막으로 체성분측정의 오차를 줄이기 위한 방법.

아침에 일어나서 2시간 이후 측정한다.

공복 상태에서 화장실은 다녀온 뒤에 측정한다.

가능한 같은 시간대에 같은 기기로 검사한다.

운동 직후, 샤워나 목욕 직후같이 체온이 올라간 상태에서 측정하지 않는다.

키를 같이 측정하는 인바디 기기의 경우 키 측정값이 달라지면 결과의 변동이 커서 키를 고정하고 측정한다.

Q 04. 비만도 유전이 될 수 있나요?
그리고 비만 가족력이 있으면 체중 감량이 더 어려운가요?

*챗GPT4의 답변:

예, 비만은 유전적 요소가 있을 수 있습니다. 유전적 요인은 개인의 비만 경향을 결정하는 데 중요한 역할을 하며, BMI 변화의 약 40~70%를 차지합니다. 여러 유전자가 비만과 관련이 있으며 식욕 조절, 신진대사, 지방 저장과 같은 요인에 영향을 미칠 수 있습니다. 그러나 유전적 요인만으로는 비만을 유발하지 않으며 환경적 요인과 생활 습관 선택도 중요합니다.

비만 가족력이 있으면 유전적 소인이 있는 사람은 체중 감량과 체중 감량 유지가 더 어려울 수 있으므로 체중 감량 노력을 더 어렵게 만들 수 있습니다. 그러나 유전은 운명이 아니라는 사실을 기억하는 것이 중요합니다. 건강한 식습관을 채택하고 규칙적인 신체 활동을 하며 의료 전문가의 도움을 받으면 비만에 대한 유전적 소인이 있는 사람도 건강한 체중을 달성하고 유지할 수 있습니다.

*가정의학과 의사 김유현의 답변:

가족력은 분명히 영향을 줍니다. 챗GPT4가 말한 것처럼 다양한 유전적인 요인과 함께 생활을 하므로 생활습관 전반에 영향을 끼치게 됩니다. 그런 만큼 가족력이 없는 사람에 비해서 체중이 올라가기 쉽고, 내리기는 어렵지요. 그렇지만 바꿀 수 없는 부분에 대해서 연연하기보다는 바꿀 수 있는 부분에 노력해야 한다고 설명을 해드리는 편입니다.

이번 질문의 챗GPT4 답변을 읽으면서는 조금 울컥했습니다..

'유전은 운명이 아니라는 사실을 기억하는 것이 중요합니다.'

이 멘트는 저도 기억해두고 나중에 써먹을 예정입니다!

이 정도로 사실 전달과 동기부여를 적절하게 섞어서 하는 것을 보면 챗GPT를 통한 생활습관관리도 충분히 가능할 것 같습니다. 언제 어디서든 물어볼 수 있고, 내가 어떤 상황이라고 하더라도 나에 대해서 객관적이지만 따뜻하게 이야기해줄 것 같고. 일단 이번 책 쓰기를 빨리 마무리하고 챗GPT를 활용한 생활습관과 정신건강 관리를 직접 해보겠습니다.

Q 05. 체중이 많이 나가면 건강에 어떤 문제가 생기나요?

*챗GPT4의 답변:

과체중 또는 비만은 다양한 방식으로 건강에 부정적인 영향을 미칠 수 있습니다. 과체중은 제2형 당뇨병, 심장병, 고혈압, 뇌졸중 및 특정 유형의 암을 포함한 다양한 건강 상태의 위험 증가와 관련이 있습니다. 또한 비만은 수면 무호흡증, 지방간 질환, 골관절염과 같은 관절 질환을 유발할 수 있습니다.

과체중 또는 비만한 사람은 사회적 낙인, 우울증, 자존감 저하를 경험할 수 있으므로 정신 건강에도 영향을 미칠 수 있습니다. 이러한 건강 합병증 발생 위험을 줄이려면 균형 잡힌 식단, 규칙적인 신체 활동, 의료 전문가의 도움 요청 등 생활 습관 변화를 통해 과체중을 해결하는 것이 중요합니다.

*가정의학과 의사 김유현의 답변:

체중이 많이 나가면 건강에 안 좋은 영향이 있을 수 있다는 걸 모르는 사람은 별로 없습니다. 그렇지만 어느 정도로 많은 문제가 또 빠르게 생길 수 있는지는 정확히 모릅니다.

'일단 지금 내가 당장 불편한 것이 없으니까.'

'얼마 전에 검사 받은 결과도 별거 없었는데 뭐.'

이렇게 생각하면서도 건강검진이 다가오면 혹시 올해는 드디어 혈압이 높지 않을지, 혈당이 높지 않을지 긴장하게 됩니다.

나중에 나이가 들고서 병이 생기고 나면 건강관리를 해야지 생각하기가 쉽지만, 나이가 들고 나면 살은 더 찌지 저절로 빠지지는 않습니다. 나잇살이라고 하지요? 특히 건강 문제를 일으키는 내장지방, 뱃살이 가장 많이 찌게 됩니다.

그리고 어린 나이부터 꾸준히 비만한 상태로 있으면 내 몸은 조용히 망가지게 됩니다. 대한비만학회에서 나온 Obesity Fact Sheet에서는 20~39세 청년비만이 건강에 어떤 영향을 주는지 다양한 연구들이 나와있습니다. 청년층에서 정상체중에 비해서 BMI 30이상인 2단계비만에서는 당뇨병이 20.8배, 고혈압이 5.7배, 심근경색과 뇌졸중은 2.7배로 증가합니다. 같은 2~3단계 비만이라고 하더라도 건강수명의 손실 정도를 비교해보면 30대는 건강수명이 16.5세가 줄어들지만, 60대는 7.3세로 2배 넘게 차이가 납니다.

종종 유튜브나 네이버 블로그를 통해서 지금 모습도 보기 좋다며 비만치료 왜 받냐는 질문을 받습니다. 그럴 때 저는. "제가 욕심도 많고, 하고 싶은 것도 많아서 날씬해지지 못하더라도, 하루라도 더 건강하게 하고 싶은 거 다 하고 살기 위해서 꾸준히 치료받겠다"고 항상 답합니다. 제가 비만치료제를 직접 사용하는 것은 물론 의사로서 환자들에게 약에 대해서 잘 설명하기 위해서도 있지만, 그보다는 나중에 약을 한 줌 먹느니 지금 한 알로 미리 관리하고 싶어서입니다.

Q 06. 살을 찌게 만들거나 살을 빼는 것을 어렵게 만드는 질환이나 약물이 있나요?

*챗GPT4의 답변:

특정 의학적 상태와 약물은 체중 증가에 기여하거나 체중 감량을 어렵게 만들 수 있습니다. 갑상선 기능 저하증, 다낭성 난소 증후군(PCOS), 쿠싱 증후군과 같은 의학적 질환은 체중 증가를 유발하고 체중 감량 노력을 방해할 수 있습니다. 또한 우울증, 스트레스, 수면의 질 저하도 체중 관리에 부정적인 영향을 미칠 수 있습니다.

특정 항우울제, 항정신병약, 기분 안정제, 코르티코스테로이드, 베타 차단제, 당뇨병 치료제 등 일부 약물은 체중 증가에 기여하거나 체중 감량을 방해하는 것으로 알려져 있습니다. 의학적 질환이나 약물이 체중에 영향을 미친다고 의심되는 경우 의료 전문가와 상담하는 것이 중요합니다. 전문의는 원인을 파악하고 적절한 치료 계획을 세우는 데 도움을 줄 수 있습니다.

*가정의학과 의사 김유현의 답변:

이차성 비만의 원인은 무엇인지 물어보는 질문입니다. [비만진료
지침 2022]에 나온 이차성 비만의 원인은 다음과 같습니다.

분류	원인
유전 및 선천성 장애	비만 연관 유전자 (ob, db, POMC, Melanocortin 4) 비만 연관 선천성 장애 (프라더-윌리 증후군, 로렌스-문-비들 증후군, 알스트롬 증후군, 코헨 증후군, 카펜터증후군)
약물	항정신병약물, 삼환계 항우울제, 선택적 세로토닌 재흡수억제제, 노르아드레날린 특정 세로토닌 항우울제, 기분 안정제, 항전간제, 당뇨병 치료제, 세로토닌 길항제, 1세대 항히스타민제, 베타차단제, 알파 차단제, 스테로이드제제(경구피임제, 당질 코르티코이드 제제)
신경 및 내분비계 질환	시상하부성 비만 : 외상, 종양, 감염성 질환, 수술, 뇌압 상승 쿠싱 증후군 인슐린종 다낭성난소증후군 성인 성장호르몬 결핍증 갑상선기능저하증

정신질환	정동장애(주요 우울증, 양극성 장애). 불안장애 (공황장애, 광장공포증), 폭식장애, 계절정동장애
	주의력결핍 과잉행동장애
	알코올의존증

이렇게 다양한 질환과 약물이 비만을 일으킬 수 있습니다. 저는 대부분의 삶을 비만으로 살았기 때문에 체중이 늘어나고 빼기 어려운 게 다른 병 때문이었으면 좋겠다는 생각도 했습니다. 의대를 다니면서 푹 빠져서 보던 미국 드라마 하우스에도 이차성 비만이 나왔습니다. 비만 환자가 알고 보니까 살이 찐 것이 뇌하수체의 종양 때문이었고, 수술하고 나니 살이 빠지면서 예뻐지는 것을 보고 나도 내가 살이 찐 것이 병 때문이라면 그 병만 치료하면 날씬해질 수 있다고 생각했습니다. 그러다 의대에서 '대부분의 이차성 비만은 질환을 치료하는 것으로 해결이 안 된다'는 것을 배우고 충격을 받았습니다. 다낭성난소증후군을 예로 들면, 질병 때문에 살이 찌기 쉬운 체질이 되는 것은 맞지만 문제는 살이 찌면 호르몬의 불균형이 더 심해지면서 건강이 안 좋아집니다. 살이 더 찌기 쉬워지고 빼기 어려워지는데도 체중 관리를 더 엄격하게 해야 하는 힘든 상태가 되는 것이죠. 차라리 이차성 비만이 있었으면 했던 철없는 혹은 멍청한 생각을 반성할 수 있었습니다.

그리고 혹시라도 이차성 비만의 원인에 약물 부분을 읽으면서 혼자서 약을 끊어버리지는 않으셨으면 좋겠습니다. 정신건강의학과 약도 그렇고, 당뇨병 약도 그렇고 살을 찌게 하는 약도 있고 빠지게 하는 약도 있습니다. 장기적인 치료가 중요한 질환들이기 때문에 혼자서 중단하는 것이 아니라 본인의 약을 주치의 선생님과 확인하고 혹시라도 부작용으로 살이 찌는 것이 아닌 살이 빠지는 약으로 바꿀 수 있는지 상의를 하길 바랍니다.

Q 07. 살을 찌게 만들거나 살을 빼는 것을 어렵게 만드는 질환이나 약물이 있나요?

*챗GPT4의 답변:

현실적이고 달성 가능한 체중 감량 목표를 설정하는 것은 장기적인 성공을 위해 필수적입니다. 현재 체중의 5~10% 감량과 같이 적당한 체중 감량 목표에 집중하는 것부터 시작하세요. 전체 목표를 관리하기 쉬운 작은 단계로 나누고, 일주일에 0.5~1kg(1~2파운드)의 점진적인 체중 감량을 목표로 합니다. 식단 변화와 운동 변화를 모두 통합하여 지속 가능하고 즐겁게 실천할 수 있도록 합니다. 정기적으로 목표를 재평가하고 필요에 따라 목표를 조정하여 동기를 유지하고 정체기를 피하세요. 마지막으로, 체중 감량은 시간과 인내가 필요한 여정이라는 점을 인식하고 인내심을 갖고 자신에게 친절하게 대하세요.

*가정의학과 의사 김유현의 답변:

5~10%의 체중을 내가 빼더라도 여전히 나는 과체중도 아닌 비만인 상황에서는 의사들이 이야기하는 현실적인 목표가 귀에 잘 안 들어옵니다. 5~10% 정도는 며칠 굶으면 빠진다고 생각되기도 하고. 저 역시 거의 굶으면서는 한 달 동안 30kg가량을 뺐던 경험이 있습니다. 물론 체중은 빠졌지만, 그와 함께 간기능이 나빠지고, 빈혈 생기고, 머리카락도 빠지고 난리가 나고, 3달 뒤에 원래 체중보다 더 살이 찌기도 했지만 말입니다.

저처럼 비만한 분들은 각자 나름의 방법으로 굳은 마음먹고 살을 빠르게 감량해본 경험이 있을 겁니다. 그런 만큼 차근차근 내 머리와 몸이 거부반응을 일으키지 않을 정도로 나의 삶을 바꿔 가는 것은 너무 느리고 답답할 수도 있습니다. 잠깐만 참고 끝내버리고 싶기도 합니다. 그렇지만 비만이 되고 나면 우리 몸은 비만인 상태의 내 체중을 정상이라고 인식합니다. 그래서 내가 열심히 노력해서 체중을 빨리 내리더라도 우리 몸에서는 수년에 걸쳐 정상이라고 생각하는 원래 체중으로 되돌려놓고 맙니다.

그리고 이렇게 체중이 다시 찌면서 실패의 경험을 쌓게 됩니다. 의사이기도 하지만 꾸준히 비만과 치열하게 싸우고 있는 저로서는 살이 다시 찔 때마다 '나는 살을 뺄 수 없는 인간인가?' '나의 의지는 왜 이렇게 약할까?' '자기관리도 못하는 못난 인간'이라고 생각하곤 했습니다. 그러면서 나는 뚱뚱한 사람이라고 규정하고, 건강을 관리하는 것을 포기해버린 적도 많습니다. '모든 사람이 날씬해야 한다' 혹은 '날씬해야지만 스스로를 사랑할 수 있다'고 생각하지는 않습니다. 하지만 내가 조금은 더 건강할 수 있게 돌보는 것을 포기하지 않기 위해서도 작은 성공을 쌓아가는 경험이 중요합니다.

그리고 의사들이 '6개월 뒤 5~10% 체중감량'에 집착하는 이유가 또 있습니다. 5~10%를 달성하고 유지하면서부터 내 건강과 삶이 달라지기 때문입니다. 정상 체중까지 가지 않더라도 고혈압, 당뇨병이 좋아지거나 위험성이 줄어들고, 내가 느끼는 삶의 질도 달라지고 나의 수명도 달라집니다. 그러니까 이번에는 너무 급하지 않게 대신 꾸준히 멀리 보면서 함께 건강을 찾아갔으면 좋겠습니다.

이를 위해서 목표를 설정할 때는 3가지를 기억하시길 바랍니다.

결과보다는 과정이 중점이 된 목표를 설정한다.

Ex) 결과 목표: 한 달 뒤 5kg를 빼겠다. (X)

/ 과정 목표 : 일주일에 3번 운동을 하겠다 (O)

달성 여부를 확인할 수 있는 목표를 세운다.

Ex) 오늘부터 덜 먹기 (X)

/ 일주일에 간식은 한 번만 먹기 (O)

한 번의 실수 후 포기하게 만드는 완벽주의 버리기 (목표에서 매일, 반드시, 절대 같은 표현을 쓰지 않는다)

Q 08. 살을 찌게 만들거나 살을 빼는 것을 어렵게 만드는 질환이나 약물이 있나요?

*챗GPT4의 답변:

초기 체중 감량 후 체중이 다시 증가하는 것은 의지력 부족 뿐만 아니라 다양한 요인에 기인할 수 있습니다. 체중 관리에 영향을 미치는 생물학적, 심리적, 환경적 측면을 고려하는 것이 중요합니다. 신체의 신진대사 적응, 호르몬 변화, 유전적 영향 등이 모두 체중 회복에 영향을 미칠 수 있습니다. 또한 정서적 스트레스, 사회적 압력, 환경적 신호도 식습관과 체중에 영향을 미칠 수 있습니다. 체중 감량을 효과적으로 유지하려면 균형 잡힌 식단, 규칙적인 신체 활동, 스트레스 관리 등 장기적이고 지속 가능한 생활 습관 변화에 집중하는 것이 중요합니다.

*가정의학과 의사 김유현의 답변:

 살을 빼보지 않은 사람들은 살을 빼기가 어렵다고 생각합니다. 하지만 살을 좀 빼본 사람이라면 빼는 것은 거의 전문가 수준이지만 그 이후의 체중의 유지는 마음처럼 안 된다는 것을 잘 알고 있습니다. 실제 연구 결과를 통해서도 체중 감량을 위해서보다도 체중 감량을 유지하기 위해서 더 큰 노력이 필요하다는 것이 여러 차례 증명이 되었습니다. 안타깝게도 말입니다.

 아래의 표는 [비만진료지침 2022]에 나온 7~10% 체중 감량을 위한 포괄적 생활습관 중재의 주요 요소입니다.

요소	체중 감량	감량된 체중 유지
기간 빈도 방식	• 20~26주간 매주 직접 대면 혹은 전화 • 인터넷/이메일은 체중 감량 효과 적음 • 그룹 또는 개인 대상	• 2주에 1번 52주 이상 • 월 1회도 충분할 수 있음 • 그룹 또는 개인 대상
식사 처방	• 저칼로리 식사 < 113 kg : 1,200~1,500 kcal ≥ 113 kg : 1,500~1,800 kcal • 대표적 다량영양소 구성 지방 ≤ 30%(포화지방 <7%). 단백질 15~25%,나머지는 탄수화물 • 개인별 필요성과 취향에 따른 식단 구성	• 감량된 체중을 유지하기 위해 낮은 칼로리 식사 섭취 • 체중 감량을 위한 대표적 다량영양소 구성과 유사

신체 활동 처방	• 중, 고강도 유산소 신체활 동 (예: 빠르게 걷기) • 주 180분 시행 • 근력운동도 바람직함	• 중, 고강도 유산소 신체활동 (예: 빠르게 걷기) • 주 200~300분 시행 • 근력운동도 바람직함
행동 치료 처방	• 일기: 음식섭취와 신체활 동을 매일 점검 • 매주 체중 점검 • 당뇨병 예방 프로그램과 같은 행동변화를 위한 구 조화된 교육과정 • 치료자에 의한 규칙적인 피드백	• 일기: 음식섭취와 신체활동 을 간헐적 또는 매일 점검 • 주 2회~매일 체중 점검 • 재발 방지 및 개별화된 문제 해결 등 행동변화를 위한 교 육과정 • 치료자에 의한 주기적인 피 드백

살을 빼기 위한 운동량은 주 180분이지만 감량한 체중을 유지를 위해서는 200~300분을 해야 합니다.

체중을 13.6kg~136kg 이상 감량하고 1년~66년 지속한 사람들을 분석한 미국의 연구를 보더라도 결과는 비슷합니다. 유지를 잘한 사람들은 하루 평균 섭취 칼로리는 1400kcal밖에 되지 않았고, 일주일에 운동으로 무려 2800kcal를 소비했습니다.

여기까지 읽으면서 막막하다고 생각했을 수도 있습니다. 그리고 일반적인 다이어트 상식과는 다르다고 생각했을 수도 있습니다. 하지만 체중이 점점 빠지는 상황에서 똑같은 운동을 꾸준히 한다는 상상만 해봐도 이해가 쉬워집니다. 살이 빠지는 만큼 그동안 짊어지고 있던 모래주머니들을 던져버리고 가벼운 몸으로 운동을 하는 만큼 살은 덜 빠질 수밖에 없습니다.

그에 더해서 내 몸은 체온이 정상범위를 벗어났을 때처럼 열심히 원래 상태로 돌아가게 하기 위해서 최선을 다합니다. 세계비만협회 회장은 비만환자에게 본인이 체중의 재증가를 이겨내라고 하는 것은 내 몸의 호르몬의 변화를 마음대로 조절해보라는 이야기와 같다고 말씀하셨습니다. 생리주기를 의지로 바꿔보라고 환자에게 요구하는 것이라고.

그런데도 저는 건강하게 잘 먹으면서 운동으로 체중을 감량하면 요요현상이 생기지 않을 줄 알았습니다. 의사에다가 생활스포츠지도사까지 딸 정도로 비만과 건강에 대한 지식도 충분했으니까 말입니다. 결국 제 체중 역시 5년이 지나면서는 원래 체중으로 스멀스멀 돌아왔습니다. 후회 없을 정도로 최선을 다해서 운동을 해봐서 그런지 이제는 내 몸을 혼자서 관리하려고 하는 마음은 버렸습니다. 제 주치의 선생님과 함께 비만 치료를 받으며 건강해지기 위해 노력하고 있습니다.

Q 09. 비만을 치료하고 체중 감량을 돕기 위해 약물이나 수술을 추천할 수 있나요?

*챗GPT4의 답변:

약물과 수술은 비만 치료를 위한 효과적인 옵션이 될 수 있지만, 생활 습관을 바꾸고 의료 전문가와 상담한 후에 고려해야 합니다. 체중 감량 약물은 체질량지수(BMI)가 30 이상인 경우 또는 비만 관련 건강 질환이 있는 체질량지수(BMI) 27 이상인 경우 처방될 수 있습니다. 일반적인 약물로는 오르리스타트, 리라글루타이드 등이 있습니다. 그러나 이러한 약물은 부작용이 있을 수 있으므로 의사의 감독 하에 사용해야 합니다. 위 우회술 또는 소매 위 절제술과 같은 비만 수술은 일반적으로 BMI가 40 이상이거나 비만 관련 건강 문제가 있는 BMI가 35 이상인 사람에게 권장됩니다. 수술은 내재된 위험을 수반하며 평생 동안 생활습관 변화를 위해 노력해야 합니다. 의사와 상의하여 본인에게 가장 적합한 조치를 결정하세요.

*가정의학과 의사 김유현의 답변:

저의 답변은 이미 앞선 답들을 통해서 눈치채셨을 것 같습니다. 감기와 폐렴이 다르듯이 과체중과 비만은 다릅니다. 그리고 우리나라의 비만 기준인 BMI 25를 넘어서는 경우, 특히 나이가 젊을 경우, 앞으로 나이들 세월이 너무 많이 남아있습니다. 가끔 약물치료나 수술치료를 반칙이라고 생각하는 사람도 있습니다. 하지만 이러한 비만치료의 효과 역시 나의 노력이 없으면 지속될 수가 없습니다. 살은 내가 빼는 게 맞습니다. 그렇지만 원래는 체중이 빠지면 빠질수록 내 몸의 반항이 커져야 하는데 그 반항을 줄여주기 위한 도움을 받는다고 생각해주세요. 그리고 꾸준히 만나는 주치의가 있다면 약속된 일정 전후로 다시 한번 마음을 다잡을 기회가 되어서도 좋은 것 같습니다. 멀고 험난한 여정에서 주저앉지 않도록 도와주는 역할을 해줄 수 있습니다.

Q 10. 비만 낙인은 무엇이고,
체중 관리에 어떤 영향을 미칠까요?

*챗GPT4의 답변:

비만 낙인은 비만인 개인이 경험하는 부정적인 고정관념, 태도 및 차별을 의미합니다. 이는 직장, 의료 환경 및 사회적 상호 작용과 같은 다양한 삶의 영역에서 나타날 수 있습니다. 비만 낙인은 정신 건강에 부정적인 영향을 미쳐 스트레스, 우울증, 낮은 자존감을 유발할 수 있습니다. 이러한 심리적 영향은 건강에 해로운 식습관, 신체 활동 감소, 의료 서비스 기피로 이어질 수 있습니다. 체중을 효과적으로 관리하려면 비만에 대한 낙인을 해소하고 편견이나 판단 없이 건강한 라이프스타일 선택을 장려하는 지원 환경을 조성하는 것이 필수적입니다.

*가정의학과 의사 김유현의 답변:

사람들이 많이 물어보는 질문은 아니지만 비만 낙인(Obesity Stigma)의 역효과를 알고 있는 것이 비만 환자에게도 그렇지만 환자의 가족과 친구들에게도 매우 중요해서 굳이 추가했습니다.

가끔 커뮤니티에서 '정신차리고 살 빼게 욕해주세요'라는 제목의 글이 올라옵니다. 뚱뚱했던 사람이 충격적인 비난 - 주로 마음에 담아둔 이성의 잔인한 말을 듣고 열심히 살을 빼고 변신해서 컴백하는 장면. 영화나 드라마에서 종종 봤던 소재입니다.

그렇지만 실제로 이렇게 체중 관련해서 부정적인 이야기를 들으면 살을 빼는데 도움이 될까요? 이게 다 너 건강해지라고 하는 이야기라고 하지만 정말로 이런 이야기를 들었던 비만환자가 더 건강하게 살게 될까요?

안타깝게도 아닙니다. 아닌 정도가 아니라 반대의 효과가 생깁니다. 체중과 외모에 관련된 비난은 단순히 우울해지고 불안해지는 정신건강의 문제로 끝나지 않습니다. 스트레스 호르몬을 증가시키고, 음식 섭취량 자체를 늘리면서 섭취하는 음식 중도 고칼로리 음식을 더 많이 먹게 만듭니다. 그리고 운동도 하지 못하게 만듭니다. 특히 외부에 가서 하는 운동 횟수를 감소시킵니다. 심지어 체중이 정상인 사람도 꾸준히 비만 낙인을 접하면 추후에 비만이 될 가능성이 높아집니다.

이 부분을 읽으면서 머릿속에서 누군가의 얼굴이 떠오르신 분들도 있으실 겁니다. 부모님일 수도 있고, 배우자 혹은 연인일 수도 있고, 가장 오래된 친구일수도 있습니다. 만일 지나가면서 상처를 줬던 이름도 기억나지 않는 사람이 떠올랐다면 그 기억은 지워버립시다. 그보다는 꾸준히 만나고 또 나를 소중히 여겨줄 사람들을 떠올려보고 그들에게 어떻게 이야기할지 생각해보세요.

'엄마가 나를 걱정해서 하는 말인 것은 알고 있어. 그렇지만 엄마가 그렇게 이야기하고 나면 내가 너무 부족한 딸 같이 느껴져. 그렇게 스스로를 못난 사람으로 생각하게 되면 나를 위한 노력도 다 포기하고 싶어진다고. 참다가 참다 이야기한 걸 수도 있지만 내가 건강해지기 위해서 엄마가 같이 노력해줬으면 좋겠어.'

만일 그 대화로 부족하다면 이 책을 보여주시는 것도 좋습니다. 실제로 나를 위한다고 생각해서 하는 발언이 나를 더 살찌게 만드니까 멈춰 달라고.

마지막으로 가장 중요한 것, 내 머릿속에서 맴도는 말들도 닥치라고 해줍시다. 주변에서 한 번 했던 말을 내가 계속 리플레이하면서 스스로 괴롭히고 있는 경우가 많으니까요. 게으른 새끼부터 시작해서 '이런 기본적인 것도 못하는 나는 사람도 아니다'까지. 나만큼 나에게 잔인한 사람이 또 없습니다. 그럴 때마다 그딴 생각하지 말라고 내 편이 되어주세요. 나를 소중히 여기지 못하면서는 오랫동안 나의 건강을 위해 노력하기가 참 어렵답니다.

3장

무엇을 어떻게 먹어야 살이 빠질까?
(식이요법)

Q 11. 살을 빼기 위해서 가장 좋은 식단은 무엇인가요?

*챗GPT4의 답변:

체중 감량을 위한 최상의 식단은 모든 사람에게 맞는 한 가지 방법이 없기 때문에 개인마다 다릅니다. 효과적으로 체중을 감량하려면 개인의 선호도, 영양 요구량, 라이프스타일에 맞는 지속 가능하고 균형 잡힌 식단을 선택하는 것이 중요합니다. 저탄수화물, 저지방 또는 지중해식 식단과 같은 인기 있는 식단은 일부 사람들에게는 효과적일 수 있지만 모든 사람에게 적합한 것은 아닙니다. 핵심은 영양이 풍부한 전체 식품, 식사량 조절, 마음 챙김 식습관을 우선시하는 것입니다. 또한 장기적인 체중 관리 성공을 위해서는 식단 변화와 규칙적인 신체 활동을 병행하는 것이 중요합니다.

*가정의학과 의사 김유현의 답변:

이 질문에 대해서 과연 어떤 식단으로 답변을 해줄 지 저도 참 궁금했습니다. 특정한 식단을 추천해주면 따라서 해볼 마음도 있었습니다. 하지만 실망스럽게도 의사들이랑 비슷하게 뻔하고 포괄적인 답변을 받았습니다. 이 정도면 의사를 대신해도 되겠다는 생각을 아주 잠시 해버렸습니다.

그래서 조금 더 내용을 보태자면 유행처럼 지나가는 여러 다이어트와 달리 꾸준히 체중관리와 건강에 도움이 된다고 추천되는 식이요법이 있습니다. 바로 지중해식 식단과 DASH 식단입니다.

지중해식 식단은 지방의 비율이 30% 정도로 일반적인 서양 식단과 비슷한데도 불구하고 그 지방이 몸에 좋은 지방으로 구성이 됩니다. 통곡류, 콩류, 견과류, 과일, 채소, 올리브유가 풍부한 식단입니다.

그리고 DASH식단은 이름 자체가 Dietary Approaches to Stop Hypertension, 고혈압을 낮추기 위한 식이요법입니다. 곡류, 저지방 단백질, 채소, 과일, 견과류가 주 식단 구성으로, 포화지방과 염분의 섭취를 줄이는 식단입니다.

두 식단 모두 지방이 없어지는 것이 아니라 안 좋은 지방은 줄이고 좋은 지방 - 불포화지방산 - 을 섭취한다는 특징이 있습니다. 이때 잊지 마셔야 할 부분은 아무리 좋은 지방이라고 하더라도 필요한 것보다 더 많이 먹으면 살 안 빠집니다. 살찔 수도 있습니다.

Q 12.   효과적인 체중감량을 위해 가장 이상적인 다량 영양소(단백질, 지방, 탄수화물) 비율은 무엇인가요?

*챗GPT4의 답변:

효과적인 체중 감량을 위한 이상적인 다량 영양소 비율은 나이, 성별, 활동 수준 및 개인 취향과 같은 요인이 작용하기 때문에 개인마다 다릅니다. 그러나 일반적인 가이드라인은 단백질, 지방, 탄수화물이 혼합된 균형 잡힌 식단을 섭취하는 것입니다. 일반적으로 일일 칼로리의 45~65%는 탄수화물, 20~35%는 지방, 10~35%는 단백질에 할당하는 것이 좋습니다. 가공되지 않은 자연 식품에 집중하고 단백질 섭취에 우선순위를 두면 포만감을 촉진하고 체중 감량 중 근육 유지에 도움이 될 수 있습니다. 자신에게 가장 적합하고 장기적으로 지속 가능한 다량 영양소 비율을 찾는 것이 중요합니다.

*가정의학과 의사 김유현의 답변:

이전 질문에서 표로 정리했던 것처럼 대한비만학회에서 체중 감량 및 유지를 위해서는 30% 이하 (포화지방 7%미만), 단백질 15~25% 그리고 나머지를 탄수화물로 비율이 나와있습니다. 하지만 그보다 더 권고되는 내용은 챗GPT4의 답변과 같습니다.

- 다양한 식사종류(저열량식, 저탄수화물식, 저지방식, 고단백식 등)을 선택할 수 있으나 영양적으로 적절하고 에너지 섭취를 줄일 수 있는 방법을 사용하며, 건강한 식생활을 강조할 것을 권고한다.

- 개인의 특성 및 의학적 상태에 따라 다량영양소(탄수화물, 지방, 단백질)의 조성을 개별화할 것을 권고한다. [비만진료지침 2022]

왜 대체 의사들은 딱 이 비율이 좋다고 말을 안 하는 걸까요? 영양소 비율을 어떻게 먹는지가 체중 감량에 큰 차이를 보이지 않았기 때문입니다. 정말 오랜 시간 저탄수화물이 좋다 저지방이 좋다 논란이 많았습니다. 특히 저탄수화물 식이가 초기 체중감량이 좋아서 많은 기대를 받았지만, 장기적으로는 그 차이가 미미했습니다. 결국은 식단을 어떤 식으로 구성하는가 보다는 총 섭취 칼로리가 얼마 인지가 중요합니다. 그리고 단순히 탄수화물이나 지방이 나쁘다가 아니라 더 나쁜 탄수화물과 지방이 있다는 점도 중요합니다.

나에게 가장 좋은 식단을 찾기 위해서 가장 먼저 해야 할 일은 일단 내가 노력을 하나도 안 할 때 어떤 것을 먹는지부터 기록을 하는 것입니다. 내 식단에 가까운 건강 식단이 만들어져야지 꾸준히 유지할 수 있습니다. 저탄수화물 식이의 경우 '사람은 밥심'이라고 하는 우리나라 사람에게는 너무 큰 변화를 요구하기 때문에 유지가 어려운 경우가 많습니다.

일주일 치 식단을 기록하고 나서는 덜어낼 수 있는 나쁜 녀석들을 찾아봅니다.

포화지방: 동물성 지방. 버터, 소기름, 돼지기름 등

트랜스지방: 마가린, 팝콘, 도넛 등 튀긴 음식 전부

정제당 & 첨가당: 흰 밀가루, 흰 쌀밥, 흰 설탕 + 시럽

한꺼번에 다 안 먹겠다고 생각하면 한 번 먹으면 다 포기하고 싶어집니다. 가장 덜어내기 쉬운 것부터 찾아보세요. 특히 먹고 싶어서 맛있게 먹은 게 아니라 있어서 먹은 음식들을 찾아봅시다. 잘 모르겠다면 저는 음료로 섭취되는 칼로리부터 시작해보는 것을 권해드립니다. 포만감도 주지 않는 녀석이면서 시럽 덩어리로 단순히 칼로리가 높은 것뿐만 아니라 혈당을 쭉 올리는 녀석이니까요.

이렇게 내 식단을 적어보고 검토하는 시간을 가질 때 나의 식사가 점점 건강해집니다.

Q 13. 안전하게 체중을 감량하기 위해서는 매일 얼마나 많은 칼로리를 먹어야 할까요?

*챗GPT4의 답변:

안전하게 체중을 감량하려면 적절한 영양소 섭취를 보장하면서 칼로리 결핍을 만드는 것이 필수적입니다. 일일 칼로리 필요량은 나이, 성별, 체중, 키, 활동 수준 등의 요인에 따라 달라집니다. 일반적인 가이드라인은 주당 1~2파운드의 체중 감량을 달성하기 위해 일일 섭취 칼로리를 500칼로리 줄이는 것입니다. 하지만 안전하고 효과적인 체중 감량 계획을 세우려면 의료 전문가와 상의하여 개인별 칼로리 목표를 설정하세요.

*가정의학과 의사 김유현의 답변:

일반적으로 챗GPT4가 말한 것처럼 500칼로리 줄인 식단을 권고합니다. 기존 식단에서 500kcal를 줄이고 6개월을 유지하면 의사들이 강조하는 5~10%의 체중을 감량할 수 있기 때문입니다.

우리나라에서 단식 혹은 극단적인 초저열량식(하루 800kcal 이하)을 하는 사람들이 꽤 많습니다. 특히 청소년기부터 20대 초반의 여자들이 아예 굶어버리는 방법을 택하는 경우를 많이 봤습니다. 내가 그냥 숨쉬고 살아가는데 필요한 열량인 기초대사량보다도 적게 먹기 때문에 체중이 빨리 빠지는 것은 맞습니다. 문제는 그 효과가 길지 않다는 점입니다. 앞서 저탄수화물 식이가 초기 감량은 좋기만 장기전으로 갔을 때 효과가 비슷했던 것처럼, 초저열량식과 저열량식(평소보다 500~1,000kcal 줄인 식단)은 장기적으로 체중 감량 효과가 차이가 없었습니다. 힘들게 더 참는다고 하더라도 시간이 지나면 따라 잡힌다는 이야기입니다.

게다가 극단적인 다이어트를 하고 나면 몸이 망가집니다. 입이 마르고, 구취가 심해지고, 구역, 구토, 변비 등의 위장관 증상이 생길 수 있습니다. 그리고 두통, 어지럼증, 기립성 저혈압 그리고 탈모, 담석증, 요석증도 나타날 수 있습니다. 다시 밥 먹으면 금방 괜찮아질 것으로 생각할 수 있지만 건강이 무너지고 나면 회복하기 위해서는 더 많은 시간이 필요할 수 있습니다. 그리고 기아상태를 경험한 내 몸은 음식에 대한 집착이 생기고 더 적은 열량을 효율적으로 사용하는 방법을 익혀서 살이 찌는 체질로도 변해갈 수 있습니다.

　제가 꾸준히 장기전을 강조하기는 했지만, 초기 감량이 좋지 않으면 지속할 동기가 흔들리기 쉽습니다. 비만치료를 받기 시작하더라도 첫 8주의 체중감량이 제일 중요하다고 할 정도로 생활습관을 검토하고 바꿔가는 노력은 필요합니다. 그렇지만 딱 8주만 하고 끝낼 방법으로는 시도하지 않으셨으면 좋겠습니다. 다시 살이 찌면서 몸이 망가지는 것뿐만이 아니라 또다시 내가 살이 쪄버렸다는 사실 때문에 마음마저 무너지지 않도록.

Q 14. 하루에 내가 얼마나 많은 칼로리를 섭취하는 지 어떤 방법으로 확인할 수 있나요?

*챗GPT4의 답변:

일일 칼로리 섭취량을 추적하는 방법은 다양합니다. 음식 일기, 스마트폰 앱 또는 음식 섭취량을 추적하도록 설계된 웹사이트를 사용하는 것도 좋은 방법입니다. 이러한 도구에는 다양한 식품의 영양 정보가 담긴 데이터베이스가 있는 경우가 많으므로 식사와 간식을 쉽게 기록할 수 있습니다. 식사량을 염두에 두고 소스나 드레싱을 추가하는 등의 세부 사항을 기록하세요. 또한, 정기적으로 진행 상황을 검토하고 필요에 따라 조정하면 체중 감량 목표를 달성하는 데 도움이 될 수 있습니다. 효과적인 추적을 위해서는 일관성과 정확성이 핵심입니다.

*가정의학과 의사 김유현의 답변:

과거에는 식단일기를 종이로 많이 기록했는데 이제는 확실히 스마트폰의 기능이 너무 좋아지고 편해져서 앱을 통한 기록을 추천하는 편입니다. 기록하면 확실히 관리가 잘된다고 환자들에게 말하면서도 저도 막상 식단을 망하는 날에는 기록하기 싫어집니다. 그럴 때 가방에 식단일기가 없거나 볼펜이 없거나 하면 기록을 못한다는 기분 좋은 핑계가 되어버립니다. 반면 스마트폰은 거의 제 몸의 일부처럼 가지고 다니기 때문에 핑계가 없어져 버립니다.

대한비만학회에서도 '체중관리 건강노트'라는 올바른 건강 정보를 제공할 수 있는 건강관리 앱을 만들었습니다. 저희 부모님께서도 함께하고는 서울시의 '손목닥터 9988'은 스마트워치와 연동을 통해서 생활습관을 기록하면서 포인트를 쌓을 수 있게 되어있는데 음식 사진 찍는 것만으로도 음식과 칼로리가 자동으로 입력이 되어서 좋다고 하십니다.

사실 사진 찍는 것조차 귀찮을 수 있습니다. 게다가 사진으로 찍었을 때 잘못된 음식을 알려주기도 해서 수정해야 하는 경우도 있습니다. 그냥 내가 먹는 것을 누가 자동으로 인식해주면 좋겠다는 생각도 들 수 있습니다. 그런데 재미있게도 내가 직접 입력하는 과정이 없으면 식단 일기를 쓰는 효과가 없어집니다. 식단을 기록함으로써 내가 무엇을 어떻게 먹고 있는지 머리로 한 번 더 생각하게 해주는 과정이 체중 관리에 도움을 주는 것인데 이 과정이 없어지기 때문인

듯합니다.

저도 참 귀찮고, 과자를 먹고서는 잊어버린 척 넘어가기도 합니다.
그렇지만 기억합시다. 직접 기록해야 건강해집니다!

Q 15. 체중 감량에 있어 식사 횟수와 시간은
얼마나 중요한가요?

*챗GPT4의 답변:

식사 횟수와 시간은 체중 감량에 영향을 미칠 수 있지만, 일일 총 칼로리 섭취량과 섭취하는 음식의 질에 중점을 두어야 합니다. 소량씩 자주 먹는 것이 배고픔을 조절하고 과식을 예방하는 데 도움이 될 수 있습니다. 반면에 식사 횟수를 줄이고 식사량을 늘려야 성공할 수 있는 사람도 있습니다. 자신의 라이프스타일에 가장 적합한 식사 패턴을 찾는 것이 중요합니다. 식사 시간의 경우, 일반적으로 취침 시간에 가까운 시간에 많은 양의 식사를 하면 소화와 수면의 질에 부정적인 영향을 미칠 수 있으므로 피하는 것이 좋습니다. 궁극적으로 체중 감량에 성공하려면 칼로리가 조절되고 영양이 풍부한 식단을 일관성 있게 준수하는 것이 중요합니다.

*가정의학과 의사 김유현의 답변:

미국의 연구 결과에 따르면 감량한 체중을 잘 유지한 사람들은 하루 평균 4~5회 식사를 했다고 합니다. 실제로도 간식도 미리 식단에 고려해서 칼로리를 배치하면서 심리적 만족감도 챙기고 간식을 먹은 것으로 죄책감이 생기거나 폭식으로 이어지지 않도록 하는 방법도 활용을 많이 하는 편입니다.

그리고 같은 연구에서 체중 유지를 잘한 사람의 78%가 아침식사를 하는 사람들이었습니다. 일반적으로 아침 식사는 공복 시간을 줄여주어서 점심의 칼로리 섭취량을 줄여주고, 건강한 식사를 할 수 있게 도와줍니다. 그래서 보통은 아침을 먹는 것이 좋다고 이야기합니다. 하지만 만일 내가 평생 아침을 안 먹었고 아침을 먹어도 점심은 여전히 비슷하게 먹게 된다면 억지로 아침을 먹어야 할까요?

아닙니다. 22%는 아침 식사 없이도 체중 관리를 잘 했잖아요. 챗GPT4가 말한 것처럼 사람마다 라이프 스타일은 다릅니다. 가장 좋은 식사 방법을 찾기 위해 온라인을 헤매기보다는 스스로 물어보고 또 실험을 해보셨으면 좋겠습니다. 그랬을 때 나의 삶에 가장 편안한 식사 방법을 찾아갈 수 있습니다.

Q 16. 더 나은 체중 감량 효과를 위해 저탄수화물 또는 저지방 식단을 따라야 하나요?

*챗GPT4의 답변:

저탄수화물 또는 저지방 식단 중 선택은 개인의 선호도, 라이프스타일, 건강 상태에 따라 달라집니다. 두 가지 방법 모두 칼로리 섭취를 조절하면 체중 감량에 효과적일 수 있습니다. 저탄수화물 다이어트는 주로 수분 체중 감소로 인해 초기 체중 감소가 더 빠른 경향이 있습니다. 또한 포만감을 개선하고 혈당 수치를 조절하는 데 도움이 될 수 있습니다. 반면 저지방 다이어트는 통곡물, 과일, 채소를 강조하여 필수 영양소와 섬유질을 제공합니다. 지속적인 체중 감량 성공을 위해서는 자신의 음식 선호도에 맞고 장기적으로 지속할 수 있는 식단을 선택하는 것이 중요합니다.

*가정의학과 의사 김유현의 답변:

앗, 정리하면서 분명히 이 질문을 넣어놓고 글을 쓰면서는 까먹고 12번 질문에서 열변을 토해버렸습니다. 한 문장으로 줄이겠습니다.

식단의 체중감량 효과는 전체 칼로리와 지속 가능 여부, 두 가지로 결정됩니다.

Q 17. 다이어트할 때 먹으면 안 되거나 반드시 줄여야 하는 특정 음식이 있나요?

*챗GPT4의 답변:

체중 감량을 시도할 때는 첨가당, 건강에 해로운 지방, 빈 칼로리가 높은 음식을 제한하거나 피하는 것이 중요합니다. 여기에는 단 음료, 가공 스낵, 패스트푸드, 흰 빵이나 페이스트리와 같은 정제 탄수화물이 포함됩니다. 대신 저지방 단백질, 통곡물, 과일, 채소 등 영양이 풍부한 전체 식품을 섭취하는 데 집중하세요. 절제와 식사량 조절은 건강한 체중 감량 계획의 핵심 요소이며, 선택에 신중을 기하는 것이 전반적인 성공에 도움이 됩니다.

*가정의학과 의사 김유현의 답변:

유튜브나 커뮤니티에서 항상 열렬한 반응을 받는 '다이어트 할 때 먹으면 안 되는 음식' 콘텐츠. 우리나라에서 가장 대표적으로 먹으면 안 되는 음식으로는 떡볶이, 짜장면, 양념치킨이 있습니다. 영양 구성을 보면 챗GPT4가 말하고 저 역시도 식단 관리에서 강조한 나쁜 성분들이 잔뜩 들어가 있습니다. 설탕과 기름 범벅이 된 음식들이지요.

그렇지만 저는 반대로 절대로 먹으면 안 되는 음식은 없다고 말씀드리고 싶습니다. 이런 음식을 줄이면 좋은 것은 분명히 맞습니다. 그렇지만 절대로 먹으면 안 된다고 생각하고 있으면, 떡볶이 먹어버리면 '이다망', 이번 다이어트 망했다 생각으로 이어지기 때문입니다.

게다가 떡볶이를 먹으면 안 된다고 다짐하면 계속 떡볶이를 떠올리고 있게 됩니다. '코끼리 생각하지마'라는 말을 들으면 코끼리가 떠올리게 되니까요.

초콜릿을 먹으면 안 된다고 생각하고, 초콜릿을 먹는 순간 고삐가 풀려서 폭식으로 이어지는 환자. 이런 경우 아예 식단에 초콜릿을 넣어 버리기도 합니다. 식사 전에 초콜릿 반쪽을 먹는다고 하더라도 세상이 무너지지 않는다는 것을 경험할 수 있도록 도와줍니다.

참다가 무너지기보다는 맛있게 내가 조절해서 먹을 수 있는 수준을 유지하기 위해서라도 금지하는 음식은 없애 보기를 바랍니다. 완벽주의만큼 다이어트를 힘들게 하는 것은 없습니다.

Q 18. 외식 혹은 배달 음식을 주문할 때 다이어트에 방해가 안되고 더 건강한 음식을 선택하는 방법이 있을까요?

*챗GPT4의 답변:

체중 감량에 방해가 되지 않으면서 외식을 하거나 배달 음식을 주문할 때 더 건강한 선택을 하려면 다음 팁을 고려하세요

1) 구운 닭고기, 생선 또는 두부와 같은 살코기 단백질 공급원 선택하기

2) 정제 탄수화물보다 통곡물 선택하기

3) 식사에 채소를 충분히 포함하기

4) 고지방, 고칼로리 소스 및 드레싱 피하거나 제한하기

5) 적은 양을 요청하거나 다른 사람과 나눠 먹기

6) 탄산음료 같은 고칼로리 음료 대신 물, 차 또는 블랙 커피 선택하기

7) 애피타이저와 디저트의 숨겨진 칼로리에 유의하기.

*가정의학과 의사 김유현의 답변:

챗GPT4의 조언은 기본적이면서도 중요한 내용이네요. 저 역시 배달의 민족을 건강하게 이용하기 위해서 고민을 많이 하는 편이기 때문에 3가지 조언을 보태어보겠습니다.

8) 너무 먹고 싶은 음식이 있을 때는 애매하게 건강한 음식을 선택하기보다는 먹고 싶은 음식을 먹자. 애매하게 건강한 음식을 먹었다가 처음에 먹고 싶었던 음식이 머리를 맴돌아서 잠 못 이루다가 야식으로 먹어본 경험이 있다면 더더욱.

9) 배달음식 1인분은 1.5인분인 경우가 많다. 내가 내는 돈을 생각해서 적게 달라고 요청하기는 쉽지 않기 때문에 미리 저녁과 아침을 함께 주문한다고 생각하자. 음식이 도착하자마자 내일 아침에 먹을 음식을 나누어서 냉장고에 넣어 버리자. 아침 준비도 해결되고 아침에도 맛있는 음식을 먹을 수 있기 때문에 저녁 양이 조금 부족하더라도 만족할 수 있다.

10) 배달비가 너무 비싸니 포장 위주로 찾아보자. 사실 포장하기 위해서 걷는 것이 엄청난 운동이 되는 것은 아니다. 그래도 집에서 유튜브 보면서 배달음식이 도착하길 기다리는 것보다는 내 건강에도 지갑 사정을 위해서도 낫다.

Q 19. 살을 뺄 때 물을 충분히 마시는 것이 중요한가요?

*챗GPT4의 답변:

　체중을 감량할 때 물을 충분히 마시는 것은 여러 가지 이유로 필수적입니다:

　1) 물은 식욕을 조절하고 과식을 방지하며, 2) 신진대사와 지방 연소 과정을 돕고, 3) 적절한 수분 섭취는 소화를 돕고 변비를 예방하며, 4) 물을 마시면 고칼로리 음료를 대체하여 전반적인 칼로리 섭취를 줄일 수 있고, 5) 적절한 수분 섭취는 신장과 간 기능을 촉진하여 해독과 체중 관리에 중요한 역할을 합니다. 하루에 최소 8컵(64온스)의 물을 섭취하는 것을 목표로 하되, 개인마다 필요량은 다를 수 있습니다.

*가정의학과 의사 김유현의 답변:

비만에 관해서 공부하면서 여러모로 우리 몸이 참 너무하다고 생각하게 되는 경우들이 많았습니다. 물의 섭취도 내 몸이 야속하게 느끼게 만드는 부분이었습니다. 우리 몸에서 갈증이라는 신호를 배고픔으로 착각해서 음식을 섭취하다 보면 그 이후로도 목이 마르면 물이 아닌 음식을 찾게 만듭니다. 게다가 음식을 먹는다고 해서 갈증이 해소되는 것이 아니기에 배고프다는 신호가 계속 지속되게 됩니다.

저처럼 비만인 사람은 이 갈증을 허기로 오해하는 시스템이 이미 돌아가고 있을 가능성이 있습니다. 그래서 목이 마르기 전에 물을 마시는 습관, 아니면 배고프다고 느낄 때 물을 한두 잔 먼저 마시는 습관을 익혀봅시다. 많이 추천되는 방법은 식사하기 30분~1시간 전에 물을 마시는 것입니다. 물이 먼저 들어가면서 배고픔으로 혼동되는 갈증 자극을 줄이고 포만감도 유도해주면서 섭취량을 줄여줄 수 있습니다.

Q 20. 폭식과 과식의 차이는 무엇인가요?
그리고 폭식을 했을 때는 어떻게 대처해야 하나요?

*챗GPT4의 답변:

폭식과 과식은 서로 연관되어 있지만 별개의 개념입니다. 폭식은 단기간에 많은 양의 음식을 섭취하는 것이 특징이며, 자제력을 상실하는 느낌을 동반합니다. 반면에 과식은 단순히 신체에 필요한 양보다 많은 음식을 섭취하지만 통제력을 상실하지 않는 것을 말합니다. 폭식은 섭식 장애로 간주되지만 과식은 섭식 장애가 아닙니다.

폭식에 대처하려면 다음과 같은 방법을 고려해 보세요:

- 전문가의 도움을 받습니다: 정신건강 전문가 또는 섭식 장애 전문 영양사와 상담하여 안내와 지원을 받습니다.

- 건강한 대처 전략을 개발하세요: 폭식을 유발할 수 있는 스트레스, 불안, 감정적 유발 요인을 관리하는 방법을 배워보세요.

- 규칙적으로 식사하기: 폭식을 유발할 수 있는 극심한 배고픔을 예방하기 위해 일관된 식사 일정을 유지하세요.
- 감정 상태를 모니터링하세요: 감정적 유발 요인을 파악하고 사전에 대처하세요.
- 마음챙김 연습하기: 명상과 같은 마음챙김 기법을 통해 음식 섭취에 대한 인식과 통제력을 키우세요.

*가정의학과 의사 김유현의 답변:

폭식을 뚱뚱한 사람들이 음식에 눈이 돌아가서 진탕 먹어버리는 것으로 생각하는 분들도 있습니다. 그리고 종종 많은 양을 먹었기 때문에 '아~ 오늘 폭식했어'라고 이야기하는 경우도 있습니다. 하지만 같은 양을 먹더라도 내가 맛있게 그 과정을 다 즐겼다면 폭식보다는 과식에 가깝습니다.

폭식은 챗GPT가 말한 것처럼 '통제력의 상실'이 특징이 됩니다. 그리고 제가 경험했던 폭식의 느낌을 이야기하자면 맛있어서 먹는 것이 아니라 나 스스로를 괴롭히기 위해서 눈앞의 음식을 내 몸 안으로 쑤셔 넣는 기분이었습니다. 순식간에 4~5인분 정도를 해치워 버렸을 때, 웃으면서 폭식했다고 하는 것이 아니라 스스로가 싫어서 세상에서 없어졌으면 좋겠다고 생각하면서 울었습니다. 배가 너무 아파서 변기를 붙잡고 토하려고도 해봤습니다. 그렇지만 구토를 잘 못해서 그냥 토하는 시늉 몇 번 하고는 거울 속의 내가 너무 혐오스

러워서 울었습니다.

특히 감정적인 스트레스가 폭식의 계기가 되는 경우가 많았습니다. 내가 너무 싫어져서 스스로를 학대하는 느낌으로 폭식하고 나면 폭식해버린 나에게 더 엄격해졌습니다. 그 엄격한 기준을 또 벗어나면 또다시 폭식하게 되고 악순환의 사이클을 어렸을 때는 여러 차례 경험했었습니다.

이제는 폭식을 하더라도 제일 먼저 나의 마음을 돌보려고 노력합니다. '무엇이 힘들었니'하고 스스로 다정하게 토닥이다가 보면 한 번의 폭식으로 넘어갈 수 있게 되었습니다. 제가 이렇게 되기까지는 거의 10년이 걸렸습니다.

그래서 혹시라도 과거의 저처럼 폭식을 경험하고 계신 사람이 있다면 저처럼 시행착오를 경험하기보다는 빠르게 전문가의 도움을 받는 것을 추천하고 싶습니다.

대한비만학회 연수강좌에서 섭식장애 치료 전문가이신 정신건강의학과 김율리 교수님의 강의를 들을 기회가 있었습니다. 그래서 강의가 끝난 뒤, 교수님께서는 폭식이 있는 비만환자에게 어떤 비만치료제를 추천하시는지 여쭤봤습니다. 교수님께서는 약제에 관해 설명을 해주시고는

"폭식 자체에 대한 치료를 했을 때 체중 관리가 함께 되는 경우가 많아서 비만치료보다 섭식장애에 대한 치료를 먼저 고려해보는 것도 필요합니다."

아, 우문현답. 이 답을 들은 뒤로 저 역시 그동안 약물치료를 하지 않았던 성인ADHD 약물치료를 시작했습니다. 아직은 체중관리 면

에서 엄청난 효과를 보고 있는 것은 아니지만, ADHD 증상에서 이어진 불안과 초조함으로 인한 과식은 조금씩 줄어들고 있습니다.

4장

살을 빼기 위한 운동 방법을 알려줘 (운동요법)

Q 21. 운동을 하지 않고 살을 뺄 수 있나요?

*챗GPT4의 답변:

예, 운동을 하지 않고 체중을 감량하는 것도 가능하지만 더 어렵고 효율이 떨어질 수 있습니다. 체중 감소는 섭취하는 칼로리보다 더 많은 칼로리를 소모하여 칼로리 결핍을 일으킬 때 발생합니다. 운동 하지 않고 체중을 감량하려면 주로 식단 조절을 통해 칼로리 결핍을 해소해야 합니다. 그러나 운동은 체중 감량 외에도 다양한 신체적, 정신적 건강상의 이점이 있으며 신체 활동을 일상에 통합하면 체중 감량을 더욱 지속적이고 즐겁게 만들 수 있다는 점에 유의하는 것이 중요합니다.

*가정의학과 의사 김유현의 답변:

다이어트에 식단이 80%, 운동이 20%라는 이야기는 많이 들어봤을 겁니다. 어떤 선생님들은 식단이 90%라고까지도 이야기합니다. 그 이유는 운동을 통해서 사용할 수 있는 칼로리가 생각보다 적기 때문입니다. 지금 제가 [비만진료지침 2022]에 나온 운동을 하면 체중이 얼마나 빠지는 지 부분을 적을까 말까 고민할 정도로 적습니다. 유산소 운동은 운동을 하지 않은 군에 비해, 평균적으로 2~3kg의 체중 감량 효과가 있고, 근력운동은 약 1kg의 체중 감량 효과가 있다고 나와있습니다. 저의 체중을 생각해봤을 때 새 발의 피 같은 느낌입니다.

그런데도 운동을 강조하는 이유는 살이 빠지면서 줄어드는 기초대사량을 유지하고 또 체력을 유지하기 위해서입니다. 그리고 식단 조절은 변화를 주기가 쉽지 않은 반면 운동은 점진적으로 강도를 올리고 변화를 줄 수 있습니다. 체중 변화 외에도 체력 수준이 좋아지는 것을 경험하면서 동기를 지속시켜주고, 식단으로 생긴 정체기를 벗어날 방법으로 활용할 수도 있습니다.

Q 22. 식단을 바꾸지 않고도 운동 만으로 살을 뺄 수 있나요?

*챗GPT4의 답변:

식단을 바꾸지 않고 운동으로 체중을 감량하는 것도 가능하지만, 장기적으로는 효과가 떨어지고 유지하기가 더 어려울 수 있습니다. 운동은 칼로리를 소모하고 체중 감량에 필요한 칼로리 결핍을 만드는 데 도움이 될 수 있습니다. 하지만 식단 조절 없이 운동에만 의존하면 상당한 칼로리 결핍을 달성하고 유지하기가 어려울 수 있습니다. 보다 효과적이고 지속적인 체중 감량을 위해서는 일반적으로 규칙적인 신체 활동과 영양 요구량을 충족하는 균형 잡힌 칼로리 조절 식단을 병행하는 것이 좋습니다.

*가정의학과 의사 김유현의 답변:

네, 가능합니다. 왜냐하면 제가 하루에 2,000칼로리를 먹으면서 35kg을 뺐으니까요. 태릉인 수준으로 운동을 시키는 합숙소에 들어가서 정말 건강하게 식단은 유지하면서도 근력운동과 유산소운동을 병행하면서 체중을 감량했습니다. 센터에서 나와서도 운동은 꾸준히 했습니다. 운동에 대해서도 공부를 제대로 하고 싶다는 욕심이 들어서 생활스포츠지도사 보디빌딩 2급과 NSCA-CPT 라는 국제 공인퍼스널트레이너 자격증도 땄습니다.

당연히 센터에서 있는 만큼 운동은 못하더라도 이제는 식단 관리를 더 신경을 쓴다면 체중이 유지가 될 수 있을 거로 생각했습니다. 하지만 인생은 제 마음대로 되지 않았습니다. 내 몸은 예전 체중으로 돌아가기 위해서 열심히 먹으라는 신호를 계속 보냈고, 열심히 참다가도 입이 터지는 상황들이 왔습니다. 그렇게 많이 먹고 나서는 더 무리해서 운동하다가 발목을, 또 다음에는 무릎을 다쳤습니다. 운동을 못하게 되니까 스트레스를 받아서 또 먹었습니다. 수많은 연구가 이야기했던 것처럼 5년이 지나고 나니 체중이 원상태로 돌아갔습니다. 통계를 알면서도 나는 다를 거라 생각했는데 착각이었습니다.

그래도 이렇게 제대로 운동한 것을 후회하지 않습니다. 앞서 이야기한 것처럼 장기적인 비만치료의 필요성도 내가 정말 최선을 다했기 때문에 받아들이기 쉬워졌습니다. 그리고 거의 굶어서 뺐을 때는 살이 다시 찐 뒤 몸과 마음이 망가진 것만 남았다면 운동을 제대로 배워서 뺐더니 살은 다시 쪘지만 내 몸을 쓰는 방법을 배운 것은 그대로 남아있습니다.

그렇다면 다시 돌아와서 운동만으로 살을 뺄 수 있는가에 대한 대답은 '불가능한 것은 아니지만 권하고 싶지는 않다'입니다. 특히 저처럼 아예 하루에 운동으로 꽉 채운 시간을 보낼 수 있는 게 아니라면 살이 빠지지 않을 수도 있습니다. 심지어 어떤 연구들에서는 식단 조절을 없이 운동만 했을 때는 오히려 살이 찌는 경우도 있었습니다. 운동을 하고 나면 허기가 생기고, 또 운동했으니까 스스로에 대한 보상을 주고 싶은 심리가 발동이 되어서 섭취량이 무의식적으로 늘었거든요. 그래서 교과서적인 답변으로 마무리하겠습니다. 균형 잡힌 식단과 꾸준한 운동을 함께 하는 것이 다이어트에 제일 좋습니다.

Q 23. 체중 감량에 가장 효과적인 특별한 운동이나 운동 프로그램이 있나요?

*챗GPT4의 답변:

체중 감량에 가장 효과적인 운동은 심혈관 운동과 저항 운동을 모두 결합한 운동입니다. 예를 들면 고강도 인터벌 트레이닝(HIIT), 서킷 트레이닝, 복합 운동 등이 있습니다.

미국 심장 협회(AHA)에 따르면 체중 감량을 위한 만능 운동 프로그램은 없다고 합니다. 대신 일주일에 최소 150분 동안 중등도에서 격렬한 유산소 운동과 모든 주요 근육군을 대상으로 하는 근육 강화 활동을 일주일에 최소 2회 이상 병행할 것을 권장합니다.

하지만 자신에게 가장 적합한 운동 프로그램은 개인의 선호도, 체력 수준, 라이프스타일에 따라 달라집니다. 새로운 운동 프로그램을 시작하기 전에 피트니스 전문가나 의사와 상담하는 것을 잊지 마세요.

*가정의학과 의사 김유현의 답변:

살 빼기에 가장 효과적인 운동으로 많이 거론되는 운동 방법은 챗 GPT4가 말한 High Intensity Interval Training (HIIT)가 맞기는 합니다. 고강도 운동과 저강도 운동 혹은 고강도 운동과 휴식을 반복하는 것으로 짧은 시간 안에 상당히 많은 칼로리를 태울 수 있어서 바쁜 현대인들에게 추천되는 운동으로도 언급이 많이 되었습니다. 그렇지만 저는 단 한 번도 추천해본 적이 없습니다. 오히려 살 빨리 빠진다고 해보겠다는 환자분을 말린 경험은 있습니다.

식단과 마찬가지로 비만 환자가 과연 오래 할 수 있는 방법인지 의문스러웠기 때문입니다. 의사지만 운동 관련해서 나름 열심히 공부를 하고 자격증도 따서 이렇게 이야기하는 것이 아닙니다. 그보다는 고도비만으로 살아온 세월이 길고 그 과정에서 무릎, 발목, 손목, 어깨를 다쳐본 적이 많아서입니다. 저뿐만 아니라 부상으로 운동을 못하게 된 비만인도 너무 많이 봤기 때문입니다. 아무것도 안 들고 런지 동작을 하다가 자세가 틀어져서 탈골이 된 경우도 봤고, 팔굽혀펴기 하다가 손목과 어깨의 인대가 늘어난 경우도 봤습니다. 그런 상황들을 알기 때문에 빠르게 동작을 소화해내야 하는 고강도 인터벌 트레이닝을 하면 비만환자가 살이 빠지기도 전에 골병이 먼저들지 않을지 걱정이 앞서게 됩니다. 사실 저는 비만 환자에게 밖에 나가서 좀 뛰라고 이야기하는 의사를 마주하게 되면 '본인 체중에 30kg은 더 짊어지고 뛰어보라지! 관절 안 아프나 보자!' 하면서 툴툴거리는 사람이거든요. 의사였던 세월보다 비만인으로 살아온 세월이 더 길기 때문일 수도 있습니다.

그렇지만 이 질문은 답변보다도 질문 자체를 다시 생각해야 합니다. 왜냐하면 '체중 감량에 가장 좋은 운동'이 아니라 '체중 감량에 가장 효과적인 운동'을 물어봤기 때문이지요. 같은 질문 아닌가 싶을 수도 있지만 전혀 다른 질문입니다. 살을 가장 효과적으로 빼줄 수 있는 것은 당연히 칼로리를 가능한 한 많이 태울 수 있는 운동이 됩니다. 그렇지만 장기적으로 체중 감량에 좋은 운동은 다를 수 있기 때문입니다. 식단도 살을 가장 빨리 빼려면 굶으면 되는 것이지만 오래 유지가 힘들기 때문에 좋은 식단이라고 할 수 없는 것과 마찬가지입니다.

그래도 여전히 많은 사람이 물어봅니다. 어떤 운동해야 살이 잘 빠지는지 이제는 우리가 생각을 바꿔야 합니다. 빨리 빼는 방법이 아니라 어떻게 하면 오래 운동을 끌어갈 수 있을까 고민해야 합니다.

저는 꾸준히 할 수 있는 운동의 가장 중요한 특징은 '운동을 하고 나서 다음 날 일상생활이 가능해야 한다'라고 생각합니다. 내가 어제 하체를 했다는 뿌듯함을 느낄 정도의 근육통은 있어도 좋겠지만, 내 모든 에너지를 짜낼 정도의 운동 강도는 전문 운동선수가 아닌 우리에게는 맞지 않는 방법이라고 생각합니다. 이 운동을 평생 한다고 생각하면 신물이 올라온다면 조금은 강도 조절이 필요한 때입니다.

Q 24. 살을 찌게 만들거나 살을 빼는 것을 어렵게 만드는 질환이나 약물이 있나요?

*챗GPT4의 답변:

체중을 감량하려면 일반적으로 일주일에 150분 이상의 중간 강도의 유산소 운동 또는 75분 이상의 격렬한 강도의 유산소 운동과 함께 모든 주요 근육군에 대한 근력 운동을 일주일에 최소 2회 이상 실시하는 것이 좋습니다. 그러나 개인의 필요와 목표는 다를 수 있으므로 의료 전문가 또는 피트니스 전문가와 상의하여 자신에게 가장 적합한 계획을 세우는 것이 중요합니다.

*가정의학과 의사 김유현의 답변:

대한비만학회의 권고도 비슷합니다.

－ 체중감량을 위해서 유산소운동은 최소 주당 150분 이상, 주당 3~5회 실시하고 근력운동은 대근육군을 이용하여 주 2~3회 실시하는 것을 권고한다.

<운동 시간에 따른 체중 감량 효과>

주당 150분 미만	최소한의 체중 감소 촉진
주당 150분 이상	2~3kg의 체중감소 유도
주당 225~ 420분 이상	5~7.5kg의 체중감소 유도
주당 200~300분	체중 감소 후 감량된 체중의 유지 및 체중 재증가 방지

그에 더해 비만 성인의 경우 주당 150분(하루 30분, 주 5일) 운동량으로는 체중 감량에는 한계가 있고 더 의미있는 체중감량을 위해서는 주당 225분~400분(하루 60분 이상)의 운동이 필요하다고 나와있습니다. 운동만 하고 살 수 있는 것도 아닌데 주당 4~7시간을 운동에 투자해야 한다니 한숨이 푹 나올 겁니다.

그렇지만 우리는 운동만 할 거 아니잖아요. 그리고 운동 급하게 늘렸다가 다쳐서 3달 쉬는 것보다는 천천히 운동을 늘려가는 것이 훨씬 나으니 욕심내지 맙시다. 단, 갑자기 많이 시작하는 것에 대한 욕심을 버리더라도 운동이 익숙하고 편해질 때마다 조금씩이라도 시간이나 강도를 늘려보기 위한 욕심은 버리지 말아주세요.

중등도 운동과 고강도 운동을 찾아보면 각각 여유심박수 40~59%와 60%라고 나와있습니다. 요즘에는 스마트워치를 활용해서 현재 심박수를 바로바로 체크할 수도 있으니 최대심박수에서 안정 시 심박수를 뺀 값인 여유심박수를 계산해서 운동할 때 체크해 볼 수도 있습니다. 그렇지만 한 번 계산해도 금방 까먹습니다.

그래서 쉽게 기억할 기준 알려드리겠습니다. 지방을 태우기 적절한 유산소 운동 강도는 숨이 차기는 한데 옆 사람이랑 수다는 떨 수 있을 정도입니다. 조금씩이라도 운동 강도를 올려갈 욕심은 버리지 말라고 했었죠? 꼭 뛰지는 않더라도 내가 조금은 숨이 차고 조금은 땀이 맺힐 정도까지는 도전해보시길 바랍니다.

Q 25. 유산소 운동만으로 살을 뺄 수 있나요,
아니면 근력 운동이 필요한가요?

*챗GPT4의 답변:

유산소 운동만으로 체중을 감량하는 것도 가능하지만, 근력 운동을 운동 루틴에 포함하면 체중 감량과 전반적인 건강에 추가적인 이점을 제공할 수 있습니다. 근력 운동은 근육량을 늘려 신진대사를 높이고 신체가 칼로리를 더 효율적으로 연소할 수 있도록 도와줍니다. 일반적으로 유산소 운동과 근력 운동을 병행하는 것이 두 가지 운동 중 하나만 하는 것보다 체중 감량에 더 효과적입니다.

*가정의학과 의사 김유현의 답변:

챗GPT4의 답변처럼 유산소 운동과 근력운동 각자의 효과가 다릅니다. 유산소운동은 다들 그래도 많이 하는 편이라서 상담할 때는 근력 운동을 더 강조하는 편입니다. 특히 나이가 들수록 근력 운동 없이는 근육이 점점 줄어서 운동하기도 힘들어지고 살찌는 체질로 점점 변하니까 근력 운동 해야 한다고 말합니다.

그리고 꼭 이어서 강조하는 내용이 있습니다. 근력 운동에 대해서 열심히 설명하고 있으면, 열심히 들으면서 바이셉스컬 합니다. 대부분이 근력 운동을 말하면 덤벨 들고 하는 팔 운동, 어깨 운동을 떠올립니다. 그렇지만 팔 근육과 어깨 근육은 너무 작아요. 그리고 우리가 팔로 걸어다니지 않습니다. 그래서 무조건 대근육, 특히 나이들면서 많이 줄어들고 유산소 운동 능력에도 큰 영향을 주는 하체 근력 운동을 강조합니다.

실제로 매일 2시간씩 공원 걷는데 피곤하기만 하고 살이 안 빠진다고 이야기하시는 어머님들 자주 만납니다. 이런 케이스는 앞선 질문에서 이야기한 것처럼 시간은 길지만 운동의 강도가 너무 낮아서일수도 있습니다. 또 하나의 가능성은 유산소 운동이 길어지면서는 단백질, 즉 근육도 일부 소모합니다. 안 그래도 나이 들면서 줄어드는 귀한 근육을 유산소 운동을 통해서 줄여버리고 있을 수 있으니 유산소 운동 시간을 줄이고 근육 운동을 시작하도록 도와드립니다.

Q 26. 운동을 통해서 체중 감량을 할 때, 그 효과를 보는 데 얼마나 걸리나요?

*챗GPT4의 답변:

　운동을 통한 체중 감량 효과를 보는 데 걸리는 시간은 시작 체중, 운동 루틴, 식단 및 신진대사와 같은 요인에 따라 개인마다 크게 다를 수 있습니다. 일반적으로 주당 1~2파운드의 건강하고 지속 가능한 체중 감량률을 목표로 하는 것이 좋습니다. 꾸준히 노력하면 몇 주 안에 신체와 전반적인 웰빙에 약간의 변화를 느끼기 시작할 수 있습니다. 급격한 체중 감량에 비해 점진적인 체중 감량이 장기적으로 유지될 가능성이 더 높다는 점을 기억하세요.

*가정의학과 의사 김유현의 답변:

이 부분에 대해서는 [비만진료지침 2022]에 깔끔하게 나와있어서 옮겨 봅니다.

– 64개의 논문을 메타분석한 결과 운동기간이 4주 미만인 경우는 운동효과가 미미하고, 운동 기간이 12~15주인 경우 체중, 체질량지수, 체지방률, 허리둘레가 의미 있게 감소한다고 보고된 바가 있다.

일단 한 달은 넘겨야 합니다. 16주 이상으로 꾸준히 하면서는 초반 정도의 체중 감량 효과는 없을 수도 있습니다. 그래도 체중이 아니라 건강을 위해서 지속합시다.

Q 27. 운동 다이어트의 정체기를 피하고
체중을 계속 감량하려면 어떻게 해야 하나요?

*챗GPT4의 답변:

운동 루틴에서 정체기에 도달하는 것을 피하고 체중 감량을 계속하려면 다음 전략을 고려하십시오

1) 신체에 도전을 주고 적응을 방지하기 위해 운동을 다양하게 하고

2) 칼로리를 계속 소모하기 위해 운동 강도와 시간을 점차 늘리고

3) 칼로리 섭취량을 모니터링하고 조절하여 칼로리가 부족하지 않도록 하고

4) 신진대사를 촉진할 수 있는 근력 운동을 포함시키고

5) 탈진을 방지하기 위해 충분한 휴식과 회복을 취하고

6) 체중 감량은 인내와 노력이 필요한 장기 과정이므로 꾸준히 노력해야 합니다.

결과는 개인마다 다를 수 있다는 점을 명심하세요.

*가정의학과 의사 김유현의 답변:

동일한 운동을 반복하면 할수록 우리 몸은 그 운동에 대한 에너지 소모는 줄어듭니다. 체중이 점점 빠지고 있는 상황이라면 칼로리 소모량은 더욱 줄어듭니다. 꾸준히 같은 운동을 하더라도 살이 빠지면서는 점점 운동효과가 줄어든다는 이야기입니다.

체중에 따른 <u>지방 1kg</u>를 감량하기 위해 필요한 운동 시간

	강도 Mets	체중 50kg		체중 65kg		체중 80kg	
		1시간	지방1kg	1시간	지방1kg	1시간	지방1kg
걷기 (시속 4km)	3.0	158kcal	49시간	205kcal	38시간	252kcal	31시간
달리기 (시속 6km)	8.0	420kcal	18시간	546kcal	14시간	672kcal	11시간
고정식 자전거 (중강도)	5.5	289kcal	27시간	375kcal	21시간	462kcal	17시간
수영 (자유형)	6.0	315kcal	24시간	410kcal	19시간	504kcal	15시간
등산	8.0	420kcal	18시간	546kcal	14시간	672kcal	11시간

*1시간당 소비 칼로리 계산 공식 = (Mets×3.5×체중×60분)/200
*지방 1kg = 7700kcal
출처 : 대한비만학회 비만진료지침 2020

같이 건강
비만주치의

체중이 80kg일 때는 1kg을 빼기 위해서 11시간을 달려야 했지만, 체중을 50kg까지 빠지고 나면 18시간을 달려야 합니다. 수영도 15시간에서 24시간으로 늘어납니다. 1.6배는 운동을 늘려야 합니다. 내 몸 안의 호르몬이나 신경전달물질까지 가지 않더라도 딱 체중 계산된 소비칼로리만으로도 점점 살을 빼기가 어려워지는 이유를 설명할 수 있습니다.

　생활스포츠지도사 시험을 공부할 때 배운 트레이닝의 원리 중에서 점진성의 원리가 있습니다. 지속적인 트레이닝 효과를 위해서는 단계적으로 운동 강도를 올려야 한다는 내용입니다. 꾸준한 효과를 보기 위해서는 강도를 올려야 하므로 처음부터 무리하지 말고 내 체력에 맞게 진행하는 것이 좋습니다.

　또, 운동 시간을 무한정으로 늘려갈 수가 없기 때문에 유산소 운동만 할 경우 강도 조절이 쉽지 않습니다. 그에 비해 근력 운동을 병행할 경우 같은 운동을 하더라도 1kg를 더 무겁게 하거나 딱 2번 더 하는 것으로도 강도를 늘려갈 수 있습니다.

　정체기가 생길 때를 대비해서도 유산소와 근력 운동을 같이 하고, 또 장기전이라고 생각하고 운동합시다.

Q 28. 체중 감량을 위해 운동 루틴의 일관성이 얼마나 중요한가요?

*챗GPT4의 답변:

　운동을 통한 성공적인 체중 감량을 위해서는 일관성이 중요합니다. 규칙적인 운동 루틴을 유지하면 칼로리 소모량을 늘리고 근육량을 늘리며 신진대사를 높이는 데 도움이 됩니다. 또한 건강한 습관과 규율을 기르는 데 도움이 되어 운동 계획을 더 쉽게 지킬 수 있습니다. 꾸준한 운동은 장기적인 결과를 촉진하고 체중이 다시 증가하는 것을 방지합니다. 그러나 체중 감량은 시간과 노력이 필요한 점진적인 과정이므로 인내심을 갖고 현실적인 목표를 세우는 것이 중요합니다.

*가정의학과 의사 김유현의 답변:

운동을 습관화한다는 부분에서 일관성은 매우 중요한 덕목이라고 생각합니다. 내 일정에서 운동하는 시간을 미리 고정해두고 나머지 일정을 짜면 일에 치이면서도 내 건강을 지키는 방법이 됩니다.

이 때 헷갈리면 안 되는 부분이 있습니다. 규칙적으로 운동을 하는 것은 좋지만 하는 똑같은 운동을 계속하는 것은 아닙니다. 운동 스케줄은 일관성, 운동의 내용은 점진성을 챙겨주세요.

Q 29. 비만인이 체중 감량을 위해 개인 트레이너와 함께 운동하면 어떤 장점이 있나요?

*챗GPT4의 답변:

체중 감량을 위해 개인 트레이너와 함께 운동하면 여러 가지 이점이 있습니다. 개인 트레이너는 전문 지식과 경험을 바탕으로 목표에 맞는 개별화된 운동 프로그램을 제공합니다. 적절한 운동 기술과 자세를 알려주어 부상 위험을 줄이고 운동 효과를 극대화합니다. 트레이너는 동기 부여와 지원을 제공하여 운동 루틴을 일관성 있게 유지할 수 있도록 도와줍니다. 또한 식단과 생활 습관에 대한 조언을 제공하여 전반적인 건강 개선에 기여할 수 있습니다. 전문가를 선택할 때는 자격과 경험을 확인하는 것이 중요합니다.

*가정의학과 의사 김유현의 답변:

운동 전문가와 함께할 때 동기 유지와 부상 예방, 2가지에 큰 도움이 됩니다.

혼자서 운동하면 이런 저런 핑계로 운동을 미루기가 쉽습니다. 그렇지만 결제를 한 이상 돈이 아까워서라도 일정에 맞춰서 운동을 합니다. 그리고 잘하고 있다는 이야기를 듣는 것 역시 하루 더 힘내서 운동할 수 있는 기운을 줍니다.

체중이 많이 나갈 때 운동하면서는 온갖 관절에 부상 위험성이 있습니다. 꼭 운동이 아니어도 골관절염, 허리 디스크, 족저근막염 등 온갖 근골격계 문제가 생길 수 있습니다. 그리고 살을 빨리 빼고 싶은 마음에 급하게 운동을 진행하거나 익숙하지 않은 동작을 하면서 다칠 수가 있습니다. 그럴 때 올바른 자세를 체크해주고 체력수준에 맞게 점차적으로 진행해갈 수 있도록 트레이너가 도와줄 수 있습니다.

'아니다, 오히려 트레이너가 날 더 무리하게 만들어서 다쳤다'는 경우도 꽤 있기는 합니다. 아무래도 트레이너의 입장에서는 대부분 살을 빨리 빼고 싶어하는 경우가 많아서 조금이라도 더 높은 강도로 운동을 시키려고 합니다. 그리고 운동을 못해본 적이 없어서도 이 정도가 큰 무리가 되지 않다는 것을 모를 수도 있습니다.

그래서 혹시라도 장기전으로 운동해보겠다고 생각한다면 살을 빨리 빼기 위해서가 아니라 건강해지고 싶어서 왔다고 이야기를 먼저

해주는 게 좋습니다. 급하게 가지 말고 꾸준히 가자고 말하면 보통 오히려 트레이너도 가장 좋은 방향으로 운동을 진행할 수 있어서 좋아할 수 있습니다.

Q 30. 비만인이 운동을 하는 동안 부상을 예방하려면 어떻게 해야 하나요?

*챗GPT4의 답변:

운동 중 부상을 예방하기 위해 비만한 사람은 몇 가지 예방 조치를 취해야 합니다. 먼저 의료 전문가와 상담하여 개인별 맞춤 조언을 받으세요. 관절에 가해지는 스트레스를 최소화하기 위해 수영, 자전거 타기, 걷기 등 충격이 적은 운동을 선택하세요. 운동 전에는 워밍업을 하고 운동 후에는 준비운동과 정리운동을 통해 근육을 충분히 풀어주세요. 점차 강도와 시간을 늘려 근력과 지구력을 키우세요. 무리가 가지 않도록 올바른 자세와 기술에 집중하세요. 적절한 신발을 착용하고 필요한 경우 보조 장비를 사용합니다. 몸에 귀를 기울이고 통증이나 불편함이 느껴지면 휴식을 취하세요. 휴식일과 크로스 트레이닝을 병행하여 과사용 부상을 예방하고 회복을 촉진하세요.

*가정의학과 의사 김유현의 답변:

　운동을 아예 안 해본 사람이라면 정말 가벼운 산책부터 시작해서 내 몸이 놀라지 않게 해줍니다. 유산소성 지구력은 30분을 한 번에 해야 효과가 나타나더라도 내 몸의 대사적인 부분을 도와주기 위해서는 10분씩 나눠서 해도 효과가 나타납니다. 그래서 10분 산책부터 도전하도록 설명합니다.

　현재 이미 관절의 통증이 있는 경우는 걷는 것만으로도 관절이 아파서 어려울 수도 있습니다. 이럴 때 체중 부하가 걸리는 수영을 많이 추천하지만 저는 몸의 틀어진 부분을 바로 잡고 근육을 조금이라도 키워가기 위해서 기구 필라테스를 추천하는 편입니다. 기구 필라테스의 경우 내 체중이 아닌 탄성을 이용하여 운동 강도를 조절할 수 있어서 단계적으로 체력을 키워갈 수 있습니다. 하지만 기구 필라테스를 그룹으로 시작하면 절대 안 됩니다. 기구 필라테스를 그룹으로 시작하겠다는 것은 고혈압 약을 5명이 단체로 가서 받겠다는 것과 똑같습니다. 그리고 기구 필라테스를 그룹으로 참여하는 사람들은 보통 어느 정도 경지에 오른 사람들입니다. 저도 나름대로 필라테스를 오래 했다고 생각해서 그룹으로 바꿨다가 벅차게 따라가려다가 무릎 또 다쳤습니다. 참새가 뱁새를 따라가려 하다가 가랑이가 찢어졌습니다. 그리고 지금은 다시 1대1로 열심히 회복하고 있습니다.

5장

이제는 다이어트약 말고
비만치료제!
(약물치료)

Q 31. 체중 감량 및 비만 치료를 위해 FDA가 승인한 약물에는 어떤 것이 있나요?

*챗GPT4의 답변:

2021년 9월에 제가 아는 한, 체중 감량 및 비만 치료를 위해 FDA 승인을 받은 몇 가지 약물을 사용할 수 있습니다. 한국 식품의약품안전처의 경우 구체적인 승인에 대한 최신 정보를 제공할 수 없으므로 정확한 정보는 현지 당국 또는 의료 전문가와 상담하는 것이 필수적입니다.

- 펜터민(Phentermine, 1959년 승인) - 단기간 사용하도록 승인된 펜터민은 배고픔을 관리하고 에너지 수준을 높이는 데 도움

이 되는 식욕 억제제입니다.

- 오르리스타트(Orlistat) (제니칼 Xenical)(1999년 승인) - 장에서 지방 흡수를 감소시켜 칼로리 섭취를 줄입니다. 장기간 사용 가능합니다.

- 펜터민-토피라메이트(Phentermine-Topiramate) (큐시미아 Qsymia)(2012년 승인) - 식욕을 조절하고 포만감을 촉진하는 복합 약물입니다. 비만 관리에 장기간 사용하도록 승인되었습니다.

- 날트렉손-부프로피온(Naltrexone-Bupropion) (콘트라브 Contrave) (2014년 승인) - 오피오이드 길항제인 날트렉손과 항우울제인 부프로피온을 결합하여 식욕을 감소시키고 식욕을 조절합니다. 장기간 사용 가능합니다.

- 리라글루타이드(Liraglutide) (삭센다 Saxenda)(2014년 승인) - 식욕과 혈당 수치를 조절하는 데 도움이 되는 글루카곤 유사 펩타이드-1(GLP-1) 수용체 작용제입니다. 장기적인 체중 감소 및 제2형 당뇨병 관리에도 사용됩니다

- 세마글루타이드(Semaglutide) (위고비 Wegovy)(2021년 승인) - 또 다른 GLP-1 수용체 작용제인 위고비는 체중을 줄이고 심장 및 대사 질환 위험 요인을 개선하는 데 유망한 결과를 보여주었습니다.

승인 이후 철수된 약제는 다음과 같습니다.

- 펜펜(1990년대) - 펜플루라민과 펜터민복합제, 1997년에 철수.

- 시부트라민(리덕틸)(1997) - 세로토닌과 노르에피네프린 증가, 2010년에 철수.
- 로카세린 (벨빅) (2012) - 세로토닌 수용체에 영향을 미치며, 2020년에 철수했습니다.

*가정의학과 의사 김유현의 답변:

다이어트약에 관심이 많은 분이라면 챗GPT4가 정리해준 약제 승인 순서가 조금 의아하실 수도 있습니다. 가장 최근에 나온 약이 큐시미아가 아니라 삭센다가 아닌가 하고 말입니다. 2023년 3월 기준으로 우리나라에서 가장 신약은 큐시미아가 맞습니다. 큐시미아가 2020년부터 국내 처방을 시작했고, 삭센다는 그보다 2년 전인 2018년부터 처방을 하고 있습니다.

앞으로 들어올 새로운 비만치료제로, FDA에서 2021년 승인된 위고비 (당뇨병 약으로는 위젬픽)는 2024년 식약처 승인이 났고, 올해 국내 처방이 될 예정입니다. 그리고 우리나라에서도 '주사 한방으로 24kg'라는 기사로 화제였던 마운자로 (Tirzepatide)는 아직 비만치료제가 아닌 당뇨병 치료제로 FDA승인만 난 상태여서 그런지, 아니면 챗GPT4가 2021년 9월까지의 내용을 기준으로 해서인지 정리가 되어 있지 않습니다. 그래도 올해 안에 비만치료제로 FDA 승인이 되지 않을까 기대하고 있습니다.

장기 사용 가능하고 비만 환자를 건강하게 해주는 약제가 새로 나올 때마다 비만치료에 활용할 수 있는 도구들이 늘어나는 것이기에 비만 치료 의사로도 비만환자로도 참 기쁩니다.

장기간 사용 가능한 비만 치료 약물 [비만진료지침 2022]

일반명	Orlistat (올리스탯)
감량효과 (용량)	2.8% (120 mg TID)
작용기전	Gastric/pancreatic lipaseinhibitor
주요 부작용	지방변, 복부팽만 및 방귀, 배변 증가, 배변 실금
주요 금기증	만성 흡수 불량 증후군 환자 또는 담즙분비정지 환자

일반명	Naltrexone/ Bupropion(날트렉손/부프로피온)
감량효과 (용량)	3.2~5.2% (32 mg/360 mg)
작용기전	opioid antagonist(naltrexone) / anti-depressant(bupropion)
주요 부작용	구역, 변비, 두통, 구토, 어지러움, 불면, 구갈, 설사, 불안, 안면 홍조, 피로, 떨림, 상복부 통증, 바이러스성 위장염, 이명, 요로감염, 고혈압, 복부 통증, 다한증, 자극 과민성, 혈압 상승, 미각 이상, 심계 항진

주요 금기증	1) 조절되지 않는 고혈압 환자
	2) 발작 장애 또는 발작 병력이 있는 환자
	3) 중추신경계 종양이 있는 환자
	4) 알코올 또는 벤조디아제핀계, 바르비탈류, 항간질약 등 약물복용을 갑자기 중단한 환자
	5) 양극성 장애 환자
	6) 대식증 또는 신경성 식욕부진을 현재 또는 과거에 진단받은 환자
	7) 현재 아편성 또는 아편효능약(예: 메사돈) 의존성이 있는 환자 또는 급성 아편 금단증상을 지닌 환자
	8) MAO 억제제를 투여 중인 환자

일반명	Liraglutide(리라글루타이드)
감량 효과 (용량)	5.4~6.0% (3.0 mg 하루 1회 피하투여)
작용기전	GLP-1 analogue
주요 부작용	구역, 구토, 설사, 변비, 소화장애, 복통, 복부팽만감, 트림, 위식도 역류, 입마름, 위염,저혈당, 주사 부위 발적 및 가려움, 피로, 무력, 어지러움, 미각 변화, 수면 장애, 담석, 리파제/아밀라제 상승
주요 금기증	갑상선 수질암의 가족력이나 과거력을 가진 환자, 다발성 내분비샘 종양 2형 환자

일반명	Phentermine/Topiramate (펜터민/토피라메이트)
감량 효과 (용량)	6.6~9.3%(15 mg/92 mg)
작용기전	Catecholaminerelease(phentermine)/ GABA activation, Glutamateinactivation(Topiramate)
주요 부작용	1) 감각이상/미각이상 2) 기분 장애 및 수면 장애 3) 인지장애 4) 실험실검사수치 이상 - 혈청 중탄산염 저하, 혈청 칼륨 저하, 혈청 크레아티닌증가, 신석증
주요 금기증	1) 녹내장 환자 2) 갑상선 기능항진증 환자 3) 14일 이내에 MAO 억제제를투여한 환자 4) 교감신경흥분성 아민에 대한 과민 반응 환자 5) 진전된 동맥경화증환자 6) 심혈관계 질환 환자 7) 중등도~중증의 고혈압 환자 8) 폐동맥 고혈압환자 9) 정신적으로 불안하거나 흥분상태에 있는 환자 10) 약물 남용의 병력이있는 환자

Q 32. 어떤 사람이 비만치료제를 처방받을 수 있나요?

*챗GPT4의 답변:

체중 감량 약은 일반적으로 체질량 지수(BMI)가 30 이상인 사람 또는 고혈압, 제2형 당뇨병 또는 고콜레스테롤혈증과 같은 비만 관련 건강 질환이 있는 BMI 27 이상인 사람에게 처방됩니다. 하지만 체중 감량 약물이 모든 문제를 해결할 수 있는 만능 해결책이 아니라는 점을 기억하는 것이 중요합니다. 의료 전문가는 환자의 전반적인 건강 상태, 병력 및 생활 습관 요인을 평가한 후 체중 감량 약이 적절한 옵션인지 결정합니다. 경우에 따라서는 생활 습관 교정이나 외과적 개입과 같은 대체 치료법이 권장될 수 있습니다.

*가정의학과 의사 김유현의 답변:

우리나라의 비만 진단기준은 서양의 기준과 다르지만 비만치료제의 승인은 서양의 연구를 기본으로 진행이 되어서 식약처 승인 기준도 FDA와 동일합니다. BMI가 30 이상인 사람 또는 BMI가 27 이상이면서 당뇨병 전단계 혹은 제2형 당뇨병, 고혈압 또는 이상지질혈증이 있을 때 처방하게 되어 있습니다.

그리고 비만치료제의 효과가 없다고 판단하기 까지는 생각보다 오래 걸립니다. 약제별로 차이는 있지만 일반적으로 유지 용량으로 3개월 이내에 5% 이상 체중 감량이 없어야 비만치료제에 대해서 반응이 없다고 평가하고 약을 중단합니다.

단기 사용 약제들의 경우 하루만 먹어도 바로 음식에 대한 생각이 아예 없어지는 것에 비해 장기 사용하는 비만치료제들의 경우는 치료 효과를 본인은 많이 못 느끼면서도 서서히 체중 감량을 도와줍니다. 펜터민 같은 약을 복용했던 분들은 장기 사용 비만치료제 중에서 가장 감량 효과가 큰 큐시미아를 복용하면서도 효과 하나도 없다고 이야기하십니다. 그런데 한 달 뒤 체중을 측정해보면 1~2kg 빠져있고, 다음 달에 보면 도 1~2kg 빠져있습니다. 그렇게 본인이 느끼는 부분이 강하지 않은 만큼 주치의를 꾸준히 만나지 않으면 효과가 있는데도 불구하고 효과를 눈치채지 못하고 중단해버릴 수 있습니다.

Q 33. 펜터민 (디에타민)의 작용기전, 체중 감량 효과, 부작용

*챗GPT4의 답변:

펜터민은 비만의 단기 치료제로 사용되는 처방약입니다. 펜터민은 중추 신경계를 자극하여 작용하는 교감 신경 모방 아민 계열의 약물에 속합니다. 펜터민의 정확한 작용 메커니즘은 완전히 밝혀지지 않았지만, 배고픔과 포만감을 조절하는 노르에피네프린, 도파민, 세로토닌과 같은 신경전달물질의 방출을 증가시켜 식욕을 억제하는 것으로 알려져 있습니다.

임상 시험에 따르면 펜터민을 저칼로리 식단 및 운동과 함께 사용하면 대조군에 비해 체중이 크게 감소할 수 있는 것으로 나타났습니다. 체중 감소량은 개인마다 다르지만, 연구에 따르면 12주 동안 초기 체중의 3%에서 7.5%까지 평균적으로 체중이 감소하는 것으로 나타났습니다.

그러나 펜터민은 심박수 증가, 혈압 상승, 구강 건조, 불면증, 변비, 신경과민 등의 부작용을 일으킬 수 있습니다. 이러한 부작용은 일반적으로 경증에서 중등도이며 시간이 지남에 따라 감소할 수 있습니다. 흔하지는 않지만 더 심각한 부작용으로는 폐 고혈압, 판막성 심장 질환, 심리적 의존성 등이 있을 수 있습니다. 펜터민 복용을 시작하기 전에 의료 전문가와 상담하여 잠재적 인 이점과 위험에 대해 논의하는 것이 중요합니다.

＊가정의학과 의사 김유현의 답변:

우리나라에서는 8자 모양 때문에 나비약이라고 더 많이 알려진 약입니다. 단기 사용만 가능한 약으로 먹으면 진짜로 음식에 대한 생각 자체가 없어집니다. 그런 만큼 펜터민을 사용한 경험이 있으면 장기 비만치료제들에 대해서 효과가 없다고 불만족스러워하는 경우가 종종 있습니다. 특히 닥터 쇼핑을 하면서 고용량으로 장기간 복용한 경우에는 더욱 펜터민 말고는 안 된다고 이야기합니다.

저도 가끔은 펜터민을 처방하긴 하지만, 진짜 체중이 많이 나가는 비만 환자의 경우는 가능한 한 처방하지 않습니다. 뺄 살이 많은데 단기간만 쓸 수 있는 약을 주는 것은 잠깐 굶는 거 도와주는 것이 되어버리고, 이 약으로 시작했기 때문에 앞으로 분명히 도움이 되는 약들을 효과 없다고 느끼게 될 수 있기 때문입니다.

펜터민을 장기간 먹다가 중단하면 금단증상으로 식욕 증가를 경험할 수 있습니다. 식욕이 늘어나면 살이 찔까 봐 불안해서 다시 펜터민을 찾게 됩니다. 점점 더 많은 의사가 처음 방문한 환자에게는 펜터민 처방을 장기로 잘 안 해줍니다. 처방을 해주는 병원을 계속 찾아다니는 중독 환자일 수 있기 때문입니다.

이런 이야기로 열심히 설득을 하더라도 마지막에는 다른 병원에서는 잘만 받았다고, 오래 먹으면서 아무 문제없었다고 화를 내고 가는 경우도 종종 있었습니다. 결국 싸우다가 나가는 환자들도 종종 있는데 언젠가 더 노련하고 능숙하게 이런 분들의 건강관리를 도와드릴 수 있는 제가 될 수 있길 바랍니다.

Q 34. 올리스탯(제니칼)의 작용기전, 체중 감량 효과, 부작용

*챗GPT4의 답변:

오르리스타트라고도 알려진 제니칼은 위장관에서 식이 지방의 흡수를 억제하는 방식으로 작용하는 체중 감량 약물입니다. 이 약은 식이 지방을 체내에 흡수될 수 있는 작은 분자로 분해하는 리파아제 효소를 차단하는 방식으로 작용합니다. 리파아제를 억제함으로써 제니칼은 식이 지방의 흡수를 감소시켜 칼로리 섭취를 줄이고 체중 감소를 촉진합니다.

임상 시험에 따르면 제니칼은 저칼로리 식단과 함께 섭취할 경우 체중 감량 촉진에 효과적이라고 합니다. 이 연구에서 제니칼을 복용한 참가자는 대조군보다 더 많은 체중을 감량했으며, 12개월 동안 평균 체중이 초기 체중의 5.3%에서 10%까지 감소한 것으로 나타났습니다. 그러나 개인마다 결과는 다를 수 있으며, 저칼로리 식단 준수 및 규칙적인 신체 활동과 같은 요인에 의해 제니칼의 효과가 영향을 받을 수 있습니다.

제니칼에는 몇 가지 부작용이 있으며, 대부분 위장 관련 부작용입니다. 일반적인 부작용으로는 기름진 반점, 분비물을 동반한 헛배부름, 배변 긴급성, 지방 또는 기름진 변, 배변 증가 등이 있습니다. 이러한 부작용은 일반적으로 경미하며 시간이 지남에 따라 신체가 약물에 적응하면서 개선될 수 있습니다. 흔하지는 않지만 더 심각한 부작용으로는 간 손상, 신장 결석, 알레르기 반응 등이 있을 수 있습니다. 환자는 치료를 시작하기 전에 의료 제공자와 제니칼의 잠재적 이점과 위험에 대해 논의하는 것이 중요합니다.

*가정의학과 의사 김유현의 답변:

장기간 사용할 수 있는 비만치료제 중에서 가장 먼저 FDA 승인을 받은 제니칼은 상당히 치명적인 부작용이 있고, 체중 감량 효과가 그리 크지 않아 단독으로는 많이 처방하는 경우가 많지는 않습니다.

챗GPT4는 경미하다고 나와있는데 제가 치명적이라고 한 이유는 몸이 아니라 마음과 사회생활에 치명적인 부작용이기 때문입니다. 제가 제니칼을 처방하면서는 꼭 '방귀를 절대 믿지 마세요'라고 말합니다. 변을 보고 싶다는 느낌 없이 가스만 나올 것 같은 느낌이 었는데 흡수가 되지 않은 기름변이 찍하고 나와버릴 수가 있습니다. 그래서 방귀만 나올 것 같아도 화장실로 뛰어가라고 합니다.

나오는 지방변의 양을 보면서 지방 섭취량을 조절하는 사람, 평소에 먹는 양이 많은 편은 아니지만 회식이나 특별한 이벤트 때 조절이 잘 안되는 사람 그리고 다이어트를 하면서 섭취량이 줄어서 변비가 생긴 사람에게 제니칼은 효과적인 약물이었습니다. 그에 비해 제니칼을 먹으니까 더 마음껏 먹는 사람은 살이 더 찌기도 했습니다. 지방 흡수 억제제이지만 아예 흡수가 안 되는 것이 아니라 30%만 억제됩니다.

뒤에 나올 약들을 포함해서 아직 본인의 노력 없이 살이 쫙쫙 빠지는 약은 아직은 없습니다.

Q 35. 펜터민-토피라메이트복합제(큐시미아)의 작용기전, 체중 감량 효과, 부작용

*챗GPT4의 답변:

펜터민-토피라메이트는 체중 감량에 사용되는 복합 약물로, 각 성분은 고유한 작용 기전을 가지고 있습니다. 펜터민은 식욕을 억제하는 노르에피네프린의 분비를 자극하는 교감신경계 아민입니다. 항경련제인 토피라메이트는 신경전달물질인 GABA의 활성 강화, 글루타메이트 수용체 길항, 탄산 탈수효소 억제 등 다양한 경로를 통해 작용합니다.

펜터민과 토피라메이트의 병용은 두 약물을 단독으로 복용하는 것보다 체중 감량에 더 효과적인 것으로 나타났습니다. 임상 시험에서 이 두 가지 약물을 병용한 참가자들은 56주 동안 평균 체중이 초기 체중의 6.7%에서 8.9%까지 감소하여 대조군에 비해 더 큰 체중 감소를 경험했습니다.

그러나 펜터민-토피라메이트에도 부작용이 없는 것은 아닙니다. 일반적인 부작용으로는 구강 건조, 변비, 불면증, 현기증, 심박수 증가 등이 있습니다. 더 심각한 부작용으로는 기분 변화, 자살 충동, 기억력 문제, 녹내장 위험 증가 등이 있을 수 있습니다. 이러한 잠재적 위험 때문에 환자는 치료를 시작하기 전에 이 약의 이점과 위험에 대해 의료진과 상의하는 것이 중요합니다.

*가정의학과 의사 김유현의 답변:

일단 우리나라에서 승인된 장기 사용 비만치료제 중에서는 가장 체중 감량 효과가 좋은 약입니다. 저도 삭센다를 사용할 때보다 큐시미아를 사용할 때 체중이 더 많이 빠졌습니다. 그리고 펜터민을 사용했던 경험이 있는 분들은 다른 약제들은 효과가 없다고 느껴서, 저는 보통 큐시미아를 추천을 드리는 편입니다. 다른 약제들이 체중 감량 효과가 실제로 있는데도 약을 먹고 바로 느껴지지 않는다고 중단해버리는 경우가 꽤 있습니다. 효과가 없다고 생각하니 더 이상 병원에 오지 않고 펜터민을 처방해주는 병원을 다시 찾아가는 거죠. 그에 비해 큐시미아는 먹은 날, 안 먹은 날 차이가 느껴지는 편이고, 펜터민제제와 비슷하게 기운이 나는 것 같은 느낌도 들기 때문에 그나마 교체가 되는 편입니다.

그런데도 큐시미아를 비만치료를 처음 받아본 환자들에게 바로 권하기는 마음의 장벽이 있습니다. 향정신성 약물이라는 점도 그렇지만, 약을 복용하면서 나타나는 불편감들이 일반적으로 다이어트 약을 먹으면서 나타날 거라 생각하는 것과 조금 달라서 이기도 합니다.

복용을 시작했던 첫 2일 동안은 도수가 안 맞는 안경을 낀 느낌도 들었습니다. 그리고 그 이후로 시야는 좋아졌는데 손발이 저린 느낌과 입마름은 꾸준히 지속이 됐습니다. 손과 발의 저린 느낌은 어렸을 때 손에 쥐나게하는 장난친 것 같이 갑자기 쫙 퍼지는 느낌이 들었습니다. 특히 단계를 높일 때, 그런 불편감들이 더 뚜렷하게 느껴졌습니다.

그래도 불편감에 적응하며 체중 관리를 잘 되다가, 살이 충분히 빠지고는 부작용들이 갑자기 더 심해졌습니다. 앞자리가 7이 되면서는 잠을 못 자게 되어서 약을 중단할 수밖에 없었습니다. 고혈압 약을 정상 혈압인 사람이 먹으면 부작용이 더 생길 수 있듯이, 체중이 정상 체중에 가까울수록 약에 대한 부작용이 더 많이 느껴질 수 있다는 것은 알고 있었지만 직접 몸으로 경험하고 나니까 신기했습니다.

또 생각보다 식탐이 조절되는 느낌이 안 들었던 것도, 그런데도 살은 꾸준히 빠졌다는 점도 신기했습니다. 펜터민 복합제이기 때문에 먹고 싶다는 생각이 안 들 줄 알았는데 먹고 싶다는 생각은 계속 났습니다. 그래서 이것저것 배달의 민족으로 주문해놓고는 먹는 양은 줄어서 냉장고에 쌓아두게 됐습니다. 만일 꾸준히 체성분 검사를 안 했으면 약의 효과가 없다고 생각해버렸을 것 같습니다.

큐시미아 치료받으면서 식욕이 아예 없어지지 않아서 이상하다고 생각하지 않으셨으면 좋겠습니다. 우리 몸에서 먹고 싶은 신호가 나오는 것은 정상적인 반응입니다. 또 효과가 없다고 1단계 2알을 먹어버리거나, 2단계부터 시작하는 경우도 있는데, 단계를 올리는 기간은 약이 주는 불편감에 내 몸이 적응하게 도와주는 기간이라고 생각해주세요. 약의 효과는 복용하자마자 느끼지 못한다고 해도 내 몸은 서서히 변하고 있을 수 있습니다. 마지막으로 약 복용하면서 굶으면 안 됩니다. 단식을 도와주는 약이라고 생각할 것이 아니라 내가 건강한 생활습관을 찾아가게 도와주는 약이라고 생각해야 합니다.

Q 36. 날트렉손-부프로피온복합제 (콘트라브)의 작용기전, 체중 감량 효과, 부작용

*챗GPT4의 답변:

날트렉손-부프로피온은 체중 감량 및 비만 치료에 사용되는 복합약물입니다. 작용 메커니즘은 날트렉손과 부프로피온이라는 두 가지 약물이 함께 작용하여 중추 신경계에 영향을 미치고 식욕을 감소시키면서 신진대사를 촉진하는 것입니다.

날트렉손은 오피오이드 길항제로, 주로 오피오이드 및 알코올 의존증 치료에 사용됩니다. 날트렉손은 오피오이드의 효과를 차단하고 알코올 섭취로 인한 쾌락 효과를 감소시키는 방식으로 작용합니다. 체중 감량과 관련하여 날트렉손은 뇌의 보상 시스템을 조절하여 음식에 대한 갈망을 줄이고 포만감을 촉진하는 것으로 알려져 있습니다.

부프로피온은 노르에피네프린-도파민 재흡수 억제제로 작용하는 비정형 항우울제입니다. 기분 조절에 도움이 되며 식욕 억제와 신진대사 증가에 기여할 수 있는 자극 효과가 있습니다.

임상 시험에 따르면 날트렉손-부프로피온을 병용하면 대조군에 비해 체중이 더 많이 감소하는 것으로 나타났습니다. 체중 감소 정도는 개인마다 다르지만, 저칼로리 식단과 운동을 병행할 경우 12개월 동안 초기 체중의 평균 5~10%가 감소한다는 연구 결과가 보고되었습니다.

날트렉손-부프로피온의 부작용으로는 메스꺼움, 두통, 현기증, 변비, 구강 건조, 심박수 증가 등이 있을 수 있습니다. 일부 개인은 고혈압, 발작 또는 자살 충동과 같은 더 심각한 부작용을 경험할 수 있습니다. 이 약을 복용하기 전에 의료 전문가와 상의하여 잠재적인 이점과 위험에 대해 논의하는 것이 중요합니다.

*가정의학과 의사 김유현의 답변:

콘트라브는 금연치료로 사용되는 약과 금주치료에 사용되는 약 두 가지를 합쳐서 쾌락중추에 관여해서 식탐 조절에 도움이 되는 약입니다. 그래서 담배나 술을 끊으면서 체중관리까지 하려는 사람들에게 활용해볼 수 있습니다.

이 약을 먹기 시작할 때, 그리고 용량을 올리면서 두통이 나타날 수 있습니다. 저는 머리가 띵하고 맑지 않다는 느낌이 1~2일 정도 지속됐습니다. 며칠 더 복용하고 나니까 안정이 되어 더 이상 두통 때문에 불편하지 않았습니다.

확실히 식탐 자체는 줄어든 느낌을 받았습니다. 배달의 민족 주문이 줄었으니까요. 그런데 식탐은 줄었는데 실제로 먹는 양을 줄여주는 효과는 큐시미아보다는 적어서 살이 덜 빠졌습니다. 그렇지만 콘트라브를 복용했을 때가 식습관을 비롯한 생활습관 관리가 더 안정적이었다는 느낌은 들었습니다. 평소에 많이 먹지는 않지만 식탐이 문제인 사람들이 가장 효과를 보기 좋은 약일 것 같습니다.

Q 37. 리라글루티드(삭센다) 작용기전, 체중 감량 효과, 부작용

*챗GPT4의 답변:

리라글루타이드는 비만 치료에 사용되는 글루카곤 유사 펩타이드-1(GLP-1) 수용체 작용제입니다. 이 약은 식욕 조절과 포도당 조절에 관여하는 천연 호르몬 GLP-1의 작용을 모방하여 작용합니다. 리라글루타이드는 포만감을 증가시키고 위 배출을 늦추며 인슐린 분비를 촉진하여 궁극적으로 음식 섭취를 줄이고 체중을 감소시킵니다.

임상 시험에 따르면 리라글루타이드는 위약에 비해 상당한 체중 감소를 촉진할 수 있는 것으로 나타났습니다. 리라글루타이드를 복용한 환자는 평균적으로 초기 체중의 약 5~10%가 감소한 반면, 대조군 환자는 체중 감소가 미미하거나 전혀 없었습니다. 체중 감소 정도는 개인마다 다르며 복용량, 치료 순응도, 생활 습관 수정과 같은 요인에 따라 달라집니다.

리라글루타이드의 일반적인 부작용으로는 메스꺼움, 구토, 설사, 변비 등의 위장 증상이 있습니다. 이러한 부작용은 일반적으로 경증에서 중등도이며 시간이 지남에 따라 감소하는 경향이 있습니다. 흔하지는 않지만 더 심각한 부작용으로는 췌장염, 담낭 문제, 심박수 증가 등이 있을 수 있습니다. 환자는 우려 사항이나 부작용이 있으면 의료진과 상의해야 합니다.

*가정의학과 의사 김유현의 답변:

삭센다는 당뇨병 치료제로 개발이 되어서 고용량으로 사용했을 때 체중감량의 효과가 입증되어서 비만치료제로 승인받은 약입니다. 제가 가장 오래 사용하고, 지금도 다시 비만치료를 시작하면서 처방받고 있는 약이기도 합니다.

이 약의 기전을 아주 단순하게 표현하면 살을 빼면 줄어들어야 하는 호르몬을 고용량으로 넣어서 살을 빠지게, 또 유지할 수 있게 도와주는 약입니다. 원래 살을 빼고 나면 우리 몸은 응급 상황이라고 느껴서 여러 신경전달물질과 호르몬이 달라지면서 살이 다시 찌게 만듭니다. 그 변화 중 하나가 GLP-1이라는 물질이 줄어드는 것이고, 이 호르몬이 줄어들면서 더 많은 음식을 먹어야 포만감이 들고, 더 고칼로리 음식을 먹게 됩니다. 이 GLP-1을 따라서 만든 삭센다를 몸에 주사하면서 이 과정을 되돌리는 효과를 얻게 됩니다. 살을 빼는 것도 빼는 것이지만, 체중이 빠지면 빠질수록, 일명 '입이 터지는', 머릿속에 음식 생각만 가득 차는 상황을 줄여주는 효과가 있었습니다. 이 효과는 막상 치료 당시에는 잘 몰랐고, 치료를 중단하고 나서야 건강한 습관이 익숙해진 것도 있지만 약이 도움이 있었구나 깨달았습니다.

새로운 약이 나오면 환자들에게 설명하기 위해서도 저는 꼭 사용해보는 편입니다. 삭센다도 국내 처방이 시작되고서 바로 처방을 받았고, 첫 4주동안 삭센다에서 나올 수 있는 가벼운 부작용은 거의 다 경험했습니다. 콘트라브와 큐시미아 설명에도 적었듯이 장기 사용 비만치료제들은 단계적으로 증량하게 되어있고, 가장 처음 복용을 시작하거나 약 용량을 증량 후 2~3일 동안 불편감이 가장 심한 편입니다. 그래서 계획에 따라서 천천히 증량하는 것이 중요합니다.

삭센다를 처음 주사하고 1시간 뒤 2cm 정도의 두드러기가 빨갛게 올라왔습니다. 가려워서 불편한 것도 있었지만 혹시 내가 삭센다 성분에 알러지가 있는 것인가 걱정이 되었습니다. 혹시나 알러지로 인한 쇼크가 생길까봐 2번째는 병원에서 맞았는데 다행히 두 번째부터는 주사한 부위에는 별문제는 없었습니다.

대신 삭센다에서 가장 많이 나타나는 위장관 부작용, 속이 미식거리기 시작했습니다. 울컥하고 토가 나온 적도 있었습니다. 속이 안 좋아서 덜 먹어서 살이 빠지는 건가 했는데, 위장관 부작용이 있는지 없는 지와 체중 감량 정도는 연관이 없었습니다. 공부를 더 하면서는 이 증상이 결국 삭센다가 포만감을 유발하는 기전 중에 하나라는 것을 알았습니다. 약물치료를 하면서 위의 운동 속도가 느려지는데도 똑같은 양을 먹어버리면서 증상이 생기는 것이지요. 그런 만큼 한 번에 먹는 양을 줄이고, 또 급하게 먹지 않으면서는 증상이 괜찮아졌습니다.

또 저도 그렇고 환자들도 기운이 좀 떨어졌다고 느끼는 경우도 꽤 있었습니다. 약물치료 없이도 다이어트를 하면 피곤하고 체력이 떨어진다는 느낌이 듭니다. 약의 영향도 있지만 몸에 들어오는 에너지가 줄고, 체중이 빠지는 과정에서 그런 느낌이 들 수 있기 때문에 삭센다 치료를 시작하면서는 일부러 밖에 나갈 일을 더 많이 만들라고 말씀을 드립니다. 사람들도 많이 만나고, 햇빛도 많이 쐬면서 스스로 컨디션 관리를 할 필요가 있습니다.

의사 중에 저처럼 비만치료를 장기적으로 필요로 하는 경우, 삭센다를 선택하는 경우가 꽤 있습니다. 아무래도 당뇨병 치료제로 만들어졌기 때문에 체중감량 효과가 충분하지 않다고 하더라도 당뇨병을 비롯한 대사적인 문제가 좋아질 수 있기 때문입니다. 그리고 이제 2023년 하반기 혹은 2024년 상반기, 삭센다 2.0가 나올 예정입니다. 매일 맞던 삭센다 주사를 일주일에 한 번 맞으면서도 체중 감량 효과는 더 좋습니다. 신약이 나오면 무조건 제 몸부터 시작해보는 비만치료 '하는 & 받는' 의사 김유현이기 때문에 들어오자마자 주치의 선생님과 상의 후 바꿔볼 예정입니다.

Q 38. 새로운 당뇨병 약 - 세마글루티드(위고비, 위젬픽),
티제파티드 (마운자로)의 체중 감량 기전, 효과, 부작용

*챗GPT4의 답변:

세마글루타이드와 티르제파타이드는 체중 관리 및 비만 치료를
위한 유망한 옵션으로 떠오른 새로운 GLP-1 수용체 작용제입니다.
두 약물 모두 식욕, 혈당 조절 및 인슐린 분비 조절에 관여하는 천연
호르몬 GLP-1의 효과를 모방하여 작용합니다.

세마글루타이드(위고비,위젬픽): 세마글루타이드의 작용 메커니
즘은 포만감을 증가시키고 위 배출을 늦추며 인슐린 분비를 촉진한
다는 점에서 다른 GLP-1 작용제와 유사합니다. 임상 시험에 따르
면 세마글루타이드는 위약에 비해 상당한 체중 감소를 가져올 수 있
으며, 환자는 초기 체중의 약 10~15%를 감량하는 것으로 나타났
습니다. 세마글루타이드의 일반적인 부작용으로는 메스꺼움, 구토,
설사, 변비와 같은 위장 증상이 있습니다. 이러한 부작용은 경증에
서 중등도인 경우가 많으며 일반적으로 시간이 지남에 따라 감소합

니다.

　티르제파타이드(마운자로): 티르제파타이드는 GLP-1 및 포도당 의존성 인슐린자극성 폴리펩티드(GIP) 수용체의 이중 작용제로, 체중 관리에 대한 독특한 접근 방식을 제공합니다. 이 이중 작용은 인슐린 분비를 촉진하고 위 배출을 늦추며 식욕을 감소시킵니다. 임상 시험에 따르면 티르제파타이드는 위약에 비해 상당한 체중 감소를 가져올 수 있으며, 환자는 초기 체중의 약 10~15%를 감량하는 것으로 나타났습니다. 티르제파타이드의 부작용 프로필은 다른 GLP-1 작용제와 유사하며 위장 증상이 가장 흔합니다.

＊가정의학과 의사 김유현의 답변:

　최근에 '주사 한 방에 24kg'라는 제목을 보셨을까요? 아직 국내 출시는커녕 비만치료에 대해서 국내 식약처도 아니고 FDA 승인도 아직 되지 않았는데 보도자료가 나오는 것을 보고, 역시 미국 제약회사는 홍보에 매우 적극적이라는 생각을 했습니다. 그 기사가 나오고 환자들도 그렇지만 주변 의사들도 너무 많이 물어봐서 다닥유현 유튜브 채널에 영상까지 올렸습니다. 그 내용을 한 줄로 요약하면, 효과적인 약이지만 한 방은 아니다. 기사만 잘 읽어도 1년반 동안 매주 주사 맞았을 때의 24kg이 빠졌던 것을 확인할 수 있습니다. 새로 나오는 비만치료 주사제제에 대해서는 매우 기대하면서도 걱정도 하고 있습니다.

일단 지금까지 나왔던 비만치료제가 1년 치료 후 체중 감량 효과가 원래 체중의 10%를 뚫지 못했는데 새로 나올 녀석들은 원래 체중의 10%, 그리고 20%까지 감량 효과까지 연구 결과로 나왔습니다. 비만대사수술만큼 효과적인 비만 치료제가 등장했다고 술렁이고 있습니다. 위고비는 삭센다와 같은 기전이지만 반감기를 더 늘려서 1주일에 한 번 맞고 살은 더 빠지고, 마운자로는 같은 기전에 비슷한 성분 하나를 더 붙여서 시너지 효과를 내는 약입니다. GLP-1, GIP같이 장 호르몬이라고 불리는 성분들이 혈당의 조절과 체중 관리에 효과를 보여서, 앞으로 점점 더 좋은 약들이 나오지 않을까 기대하고 있습니다. 우리나라에서도 한미약품이 GLP-1 비만치료제 개발을 노력하고 있다고 합니다. 그리고 이러한 장호르몬 약제들은 체중감량도 그렇지만 지방간에 대한 치료 효과도 같이 연구되고 있습니다. 아직은 지방간염으로 인해 간 수치가 올랐을 때 간수치에 대한 보조제만 드리고 있는데, 간경화로 이어지게 되는 지방간에 대한 치료제로 쓸 수 있기를 기대하고 있습니다.

현재 위고비와 마운자로는 미국의 수요를 감당하기도 벅찬 상황이라는 이야기가 종종 들립니다. 일주일에 한 번씩 맞으면서 효과가 크다 보니 지금까지 비만치료를 한 번도 받아보지 않은 사람들도 시도해보는 경우도 많다고 합니다. 그리고 효과를 경험하면 치료를 이어가겠지요. 우리나라에서도 그동안 건강관리 포기하신 분들께도 비만치료를 시도해볼 수 있는 계기가 되었으면 좋겠습니다.

첫 번째 걱정되는 부분은 일주일에 한 번 맞는 약이라는 점입니다. 삭센다가 처음 나오고는 최대 용량인 하루 3.0으로도 6번을 맞아야 다 쓰는 삭센다 한 펜을 하루에 다 맞고 응급실에 갔던 환자가 가끔 있었습니다. 그래도 삭센다는 반감기가 13시간이었으니 하루 정도 지나고 나면 그 효과는 어느 정도 괜찮아졌을 겁니다. 그런데 위고비는 반감기가 삭센다의 12.6배로 165시간, 일수로는 6.9일이 됩니다. 제가 비만치료를 받는 환자로 생각하면 일주일에 한 번 맞아도 되니까 좋지만, 약을 처방하는 의사 입장에서 생각하면 '혹시나 환자들이 매일 맞다가 응급실에 가게되면 어떻게 하나' 하는 걱정이 됩니다. 계속 강조했던 것처럼 맞자마자 먹을 생각이 아예 없어지는 기분이 들지는 않을 수 있는데, 내가 약효를 못 느끼나 생각하면서 하루 이틀만에 한 번 더 맞으려는 환자가 분명히 있을 것 같습니다. 그래서 치료를 시작하는 초반에는 절대 여러 개 주지 않고, 자주 만나면서 조절하는 쪽으로 고민하고 있습니다.

두 번째 걱정은 가격입니다. 기사들을 찾아보면 위고비는 미국 한 달 약값이 1300~1600달러, 마운자로는 974달러라고 합니다. 150~200만원 정도를 매달 비만치료에 쏟아부어야 하는 겁니다. 게다가 한 달 쓰는 게 아니라 꾸준히 쓰면서 효과를 보는 약인 만큼 재정적인 부담이 너무 클 것 같습니다. 저도 삭센다를 중단하게 된 이유가 돈 때문이었으니까요. 창업하겠다고 파트타임으로 바꾸고 나서 비용적인 부담을 감당하기 힘들어서, 효과도 있고 건강관리도 덕분에 잘하고 있었는데도 중단할 수밖에 없었습니다. 그래도 현재 삭센다의 가격이 다른 나라들에 비해서 낮게 형성되어 있는 만큼 다른 약제들도 미국 정도로 비싸게 나오지는 않을 것 같다고 추측하고 있습니다.

하아. 그렇다고 해도 절대 싸지는 않을 거라서, 저는 위고비가 올해 안에 승인되고 출시되면 바로 처방을 받겠지만 환자분들께는 조금 기다려서 가격이 내려간 뒤에 써보는 것도 좋겠다고 말씀드릴 것 같습니다. 그리고 스마트폰도 신제품 나오면 구제품의 가격이 내려가듯, 위고비가 나오면서는 삭센다가 가격이 떨어져주지 않을까 하는 기대도 살짝 하고 있었는데, 충격적으로 위고비가 나오기 전에 삭센다 가격이 올랐습니다. 현재 워낙 미국 등의 나라에서 수요가 너무 많아서, 위고비의 진입은 커녕 삭센다의 공급도 조금씩 어려움이 생기고 있습니다. 좋은 약이 들어올 때까지로 건강관리를 미루지는 말아야겠습니다.

Q 39. 체중 감량에 도움이 되는 미량영양소 등의 보충제가 있나요?

*챗GPT4의 답변:

체중 감량과 관련된 미량 영양소에는 비타민(예: 비타민 B군, 비타민 D, 비타민 C)과 미네랄(예: 칼슘, 마그네슘, 철, 아연, 크롬)이 포함됩니다. 이러한 영양소는 신진대사, 에너지 생성, 식욕 조절에 중요한 역할을 합니다.

아르기닌, 카르니틴, 녹차 추출물, 카페인, 공액리놀레산(CLA)과 같은 체중 감량 보충제는 체중 감량에 도움이 될 수 있다고 판매되는 경우가 많습니다. 아르기닌은 혈류를 개선하고 운동 능력을 향상시키는 데 도움이 될 수 있는 아미노산이며 카르니틴은 에너지 대사에 관여합니다.

그러나 이러한 보충제의 효능은 사람마다 다르며 모든 사람에게 유의미한 결과를 가져다주지는 않을 수 있습니다. 잠재적인 부작용으로는 위장 문제, 심박수 증가, 불면증, 약물과의 상호작용 등이 있습니다. 보충제 섭취를 시작하기 전에 의료 전문가와 상담하고 지속 가능한 체중 감량을 위해 균형 잡힌 식단, 규칙적인 운동, 건강한 생활 습관 개선에 집중하는 것이 중요합니다.

*가정의학과 의사 김유현의 답변:

많은 의사가 비만치료를 시작하면서 건강기능식품을 함께 처방하거나 종합영양제라도 꼭 챙겨 먹으라고 이야기합니다. 그런 이야기를 들었기 때문에 가끔 이런 영양제 혹은 보충제가 체지방을 없애준다고 오해합니다. 그렇지만 그 정도의 효과가 있다면 FDA에서 비만치료제로 승인받았겠지요. 그 정도의 효과가 없는데도 영양제를 먹으라고 하는 이유는 비만환자가 이미 부족한 상태이거나 다이어트를 하면서 부족해지기 쉬운 영양소들이 있기 때문입니다. 많이 먹는다고 살이 빠지지는 않아도 부족하면 살이 빠지는 것을 조금 더 힘들게 만들 수 있습니다.

일단 체중이 많이 나가는데 영양이 부족하다는 말이 이상하게 느껴질 수 있습니다. 비만 환자는 많이 먹어서 영양이 넘치는 것이 문제라고 생각하기 쉬우니까요. 하지만 실제로는 영양소 중에 탄수화물, 지방 같이 많이 먹어서 남는 에너지가 생기는 것은 맞지만, 비타민과 무기질 같은 미량영양소는 오히려 부족한 경우가 많습니다. 분당서울대병원에서 비만대사수술 전 영양 상태를 조사해봤을 때 비타민D, 비타민B1, 엽산, 철분, 아연 같은 영양소의 결핍이 나왔습니다. 특히 비타민D는 비만 환자 중에 80%가 부족하게 나왔습니다. 비타민D의 경우 근육과 골대사에 영향을 미치는 만큼 부족한 상태는 아니도록 보충해주는 것이 좋습니다. 그렇지만 앞서 정리했던 것처럼 비타민D를 더 많이 먹는다고 해서 체중이 줄어들지는 않는다는 것이 입증되었습니다.

미국 국립보건원(NIH) 홈페이지 중 <체중 감량을 위한 식이 보충제- 건강 전문가를 위한 팩트 시트>에서 "Possible modest reduction in body weight"라고 체중이 약간 감소할 가능성이 있다고 한 성분들을 적어보겠습니다.

- 아프리카 망고 씨앗 추출물(Irvingia Gabonensis)
- 카페인
- 카르니틴
- 그린커피빈추출물(Coffea arabica, Coffea canephora, Coffea robusta)
- 녹차(Camellia sinensis)혹은 녹차 추출물
- 피루브산
- 흰강낭콩(Phaseolus vulgaris)

갑자기 이런 성분들이 들어간 보충제를 구매하고 싶을 수 있지만 잠깐 고민해보세요. 저기에 카페인이 들어가 있고 녹차가 들어가 있습니다. 제가 초등학교 2학년 때부터 믹스커피로 시작해서 카페인을 몸에 쏟아부으면서 살았습니다. 어렸을 때는 믹스커피여서 그렇다 치더라도 아메리카노로 바꾼 지 오래 됐는데 아직도 체중 감량은

감감무소식입니다.

분명히 이런 보충제들을 활용하면서 효과를 보는 분들도 있습니다. 저 역시도 한창 운동 많이 하면서는 아르기닌과 카르니틴을 중간중간 복용했고, 지금은 종합영양제만 먹지만 추후에도 먹어볼 의향이 있습니다. 그렇지만 엄청나게 큰 효과를 기대하기보다는 내가 운동하고 식단 관리를 하는 만큼 몸이 좋아질 수 있게 챙겼습니다. 부족한 영양소때문에 대사가 느려지고, 노폐물이 더 쌓이게 되면 안 그래도 힘든 다이어트 과정에 조금 더 힘든 부분을 더하게 되니까요. 큰 기대를 하지 말라는 이야기는 많은 돈을 쓰지 말자는 이야기입니다!

그리고 많은 돈 쓰지 않기 위해서도 체중 감량과 뚜렷한 연관이 없다고 나온 성분들도 한 번 쓱 읽어 둡시다.

- 칼슘: 체중 혹은 체중감량 혹은 비만 예방과 연관 없음
- 캡사이신: 에너지 섭취를 줄여줄 가능성은 있지만 체중과 관련 없음
- 키토산: 체중에 큰 영향 주지 않음
- 크로뮴: 체중과 체지방에 큰 영향을 주지 않음
- 콜레우스포스콜리(Coleus forskohlii): 체중에 영향 없음
- 공액리놀레산(CLA): 체중과 체지방에 큰영향을 주지 않음
- 가르시니아 캄보지아 추출물 (Garcinia cambogia (하이드록시시트릭산 hydroxycitric acid)): 체중과 연관이 굉장히 적거나 없음

- 글루코만난(Glucomannan): 체중과 연관이 굉장히 적거나 없음

- 구아 검(Guar gum): 체중과 연관 없음

- 후디아(Hoodia gordonii): 체중과 연관 없음

Q 40. 장기 처방 가능한 비만치료제는 얼마나 오래 복용할 수 있나요? 그리고 복용을 중단하면 체중이 다시 증가하나요?

*챗GPT4의 답변:

FDA 승인을 받은 장기 지속형 체중 감량 약물의 치료 기간은 특정 약물과 개별 환자의 필요에 따라 다릅니다. 일반적으로 이러한 약물은 장기간 사용하도록 되어 있지만, 정확한 기간은 환자의 진행 상황과 내성에 따라 의료 전문가가 결정해야 합니다.

약물 복용을 중단한 후 체중이 회복되는 것은 일반적인 우려 사항입니다. 일부 개인은 치료를 중단한 후 체중이 회복될 수 있지만, 이러한 위험을 최소화하기 위해서는 종합적인 체중 유지 계획을 수립하는 것이 중요합니다. 다음은 비만 치료 후 체중 감량을 유지하는 데 도움이 되는 몇 가지 전략입니다:

- 건강한 식습관: 과일, 채소, 통곡물, 저지방 단백질 공급원, 건강한 지방을 강조하는 균형 잡힌 영양소 밀도 높은 식단을 섭취합니다. 식사량 조절을 실천하고 과도한 칼로리 섭취를 피하세요.
- 규칙적인 신체 활동: 유산소 운동과 저항 운동을 병행하여 규칙적인 신체 활동을 합니다. 일주일에 최소 150분 이상의 중간 강도 또는 75분 이상의 격렬한 강도의 유산소 운동과 함께 일주일에 2일 이상 근육 강화 활동을 목표로 합니다.
- 행동 수정: 스트레스, 감정적 식사 및 기타 과식 유발 요인을 관리할 수 있는 건강한 습관과 대처 전략을 개발합니다. 정신 건강 전문가와 상담하거나 지원 그룹에 참여하여 추가 지침을 받는 것도 고려해 보세요.
- 정기적인 모니터링: 정기적인 체중 측정을 통해 진행 상황을 추적하고 그에 따라 체중 유지 계획을 조정하세요. 지속적인 지원과 조언을 위해 담당 의료진과 연락을 유지하세요.

*가정의학과 의사 김유현의 답변:

현재 국내에서 장기 사용이 승인된 비만치료제는 제니칼, 큐시미아, 콘트라브, 삭센다, 위고비는 모두 최소 1년을 사용해서 안전성과 효과가 입증이 된 약입니다. 제니칼, 삭센다와 큐시미아는 청소년이 사용했을 때에도 체중 감량이 되면서도 성장과 성성숙에 악영향을 미치지 않아서 현재 12세 이상의 청소년 비만에서도 FDA 승인을 받았습니다. 그렇지만 이 약물 중에서 약을 끊고도 감량된 체중이 유지되는 약은 없습니다.

'아니, 약을 끊으면 다시 찌다니 굶는 거랑 다를 게 뭐가 있냐?' 고 생각할 수도 있습니다. 그렇지만 비만처럼 서서히 안 좋아지는 만성질환 - 고혈압, 당뇨병, 고지혈증을 떠올려보면 조금 납득하기가 쉬워집니다. 현재 그 어떤 약도 이러한 대사질환을 완치시켜주는 약은 없습니다. 그렇지만 꾸준히 복용하면 수치를 효과적으로 조절해주고 결과적으로 심장, 뇌혈관의 문제를 덜 생기게 해주는 약들은 많이 나와있습니다. 당뇨병 약을 끊어서 혈당이 올라가는 것이, 고혈압 약을 끊으면 혈압이 올라가는 것이 이상한가요? 이상하지 않고 당연하지요. 내 몸이 높은 혈당을 기준으로, 높은 혈압을 기준으로 살게 된 깃을 바꿔주는 것이 아니라 매일매일 꾸준히 올라가지 않도록 눌러주는 약들이기 때문입니다. 비만도 마찬가지입니다. 내 몸에서 정상이라고 생각하는 체중이 비만 상태인 체중이 되었을 때 이 기준점 - 세트포인트를 바꿔서 더 이상 비만치료가 필요 없게 해주는 약은 없습니다.

그렇다면 비만치료제를 평생 사용해야 하는가에 대해서는 의사마다 의견이 다를 것 같습니다. 일단 비만이 평생 치료가 필요하다는 부분은 많이들 동의할 것 같습니다. 이 평생 치료라는 부분을 다 약물치료를 할 것인지 아니면 약을 중단하고 생활습관 관리를 하다가 체중이 일정 기준이 오르면 빠르게 다시 잡아줄 것인지가 다를 겁니다.

실제로 체중 감량 목표를 이루고 난 뒤에 어떻게 진행할지는 의사마다 또 같은 의사여도 환자마다 달라집니다. 약물치료 유지, 같은 약물 저용량으로 유지, 다른 약제로 유지, 중단하더라도 규칙적으로 만나기, 중단하고 체중 재증가 시 내원까지. 이 사람에게 가장 도움이 될 방법을 고민해서 결정하게 됩니다.

아무래도 비만치료제들이 보험이 되지 않기 때문에 비용적인 부담이 있어서 저는 5번째 - 중단 후 체중이 다시 증가되면 병원가는 것을 택했습니다. 이 때 제가 제대로 못했던 부분이 살이 슬슬 찌기 시작하는 시점에 병원에 가지 못했다는 거죠.

2022년 큐시미아를 불면증 때문에 중단하고난 뒤, 힘든 일들이 줄줄이 이어졌습니다. 코로나 확진되어서 많이 아프고, 후유증으로 이석증과 전정신경염이 반복되고, 그 사이에 어머니 아프시고, 할머니 아프시다가 결국 돌아가시고. 아주 짧게 요약했지만 그사이 몸도 마음도 너무 힘들었습니다. 내가 건강했다면 더 잘 돌봐 드릴 수 있지 않을까 하는 생각도 많이 하고, 내 인생이 어떻게 굴러가려고 이렇게 힘든 일만 계속 생길까 하는 생각도 들었습니다. 그리고 힘들어서 살이 쪘습니다. 힘들면 빠지는 것은 날씬한 사람들 이야기죠. 제가 자주 하는 말이 '힘들어서 빠질 살이었으면 찌지도 않았다'입니다. 실제로 연구에서도 보면 BMI가 높을수록 스트레스, 특히 만성스트레스 상황에서 체중이 증가할 가능성이 높다고 나옵니다. 속상하게도 말이지요.

그렇게 2022년에는 일단 병원에 가서 진료받을 정신도 없고 컨디션도 안 좋아서 엉망으로 보냈습니다. 조금 쪘을 때 치료를 다시 시작했으면 이렇게 가야 할 길이 멀어지지 않았을텐데 하는 마음도 들었습니다. 그래도 후회한다고 바뀌는 것도 아니고, 이제부터 제대로 비만치료의 시동을 걸어보려고 합니다.

아, 그리고 평생 치료해야 한다고 이야기하면, '장기치료 약제들은 평생 먹어도 안전한가요?'라는 질문도 많이 받습니다. 다 신약인 편이라서 평생 먹었던 사람은 아직 없습니다. 그런데 평생 먹겠다는 생각을 미리부터 할 필요가 없습니다. 새로운 당뇨병약 질문에서 이야기했듯이 앞으로 더 좋은 약들이 계속 나올 거니까요!

6장

건강보험이 되는
비만 치료 방법이 있다?
(수술치료)

Q 41. 비만수술이란 무엇이며 체중 감량과 건강 개선에 어떻게 도움이 되나요?

*챗GPT4의 답변:

비만 수술은 중증 비만이 있는 개인이 현저하고 지속적인 체중 감량을 달성하도록 돕기 위한 일련의 체중 감량 수술 절차를 말합니다. 비만 수술은 소화 시스템을 변경하여 음식 섭취를 제한하거나 영양소 흡수를 줄이거나 두 가지 방법을 모두 사용합니다. 일반적인 시술에는 위 우회술, 위 슬리브, 조절식 위 밴드 등이 있습니다. 비만 수술은 체중 감량, 비만 관련 건강 상태(예: 제2형 당뇨병, 고혈압, 수면 무호흡증) 개선, 전반적인 삶의 질 향상에 도움이 될 수 있습니다. 비만 수술은 일반적으로 보수적인 체중 감량 방법으로 체중 감량에 성공하지 못했고 BMI가 40 이상이거나 비만 관련 동반 질환이 있는 35인 경우에만 받을 수 있다는 점을 유의해야 합니다.

*가정의학과 의사 김유현의 답변:

가장 효과적인 장기 비만치료는 비만 수술(Bariatric Surgery)입니다. 어떤 논문에서는 고도비만의 유일한 치료 방법이라고도 이야기합니다. 그리고 비만 수술은 당뇨병 치료 효과가 확인되어 대사 수술 혹은 당뇨병 수술이라고도 합니다.

그렇게 인정받게 된 이유는 챗GPT4가 적어준

1) 섭취 제한 (위가 작아져서 덜 먹는다)

2) 흡수 제한 (영양분을 흡수하는 장을 일부 우회하면서 영양분 흡수를 줄인다)

이 두 가지 효과와 함께 하나의 효과가 더 발견되었기 때문입니다.

장 호르몬과 신경전달물질의 변화

비만 수술을 받았던 환자들이 당뇨병 완치가 되면서 처음에는 살이 많이 빠져서 당뇨병이 좋아졌다고 생각을 했습니다. 그런데 살이 많이 안 빠진 사람도 당뇨병이 좋아졌습니다. 그래서 단순히 체중 감량의 효과가 아닌가 하고 연구해보니 우리 몸의 장호르몬과 신경전달 물질들이 변한 것이 발견되었습니다. 그리고 이러한 변화가 내 몸이 정상이라고 하는 체중의 기준 - 세트포인트 자체를 낮춰버린다는 것 역시 확인이 되었습니다. 그 변화과정에 인슐린과 당 대사가 관여해서 당뇨병도 좋아집니다. 아주 단순하게 정리하면 다음과 같습니다.

살을 빼면 우리 몸에서는 GLP-1 (삭센다 성분)이 줄어들어서 살을 빼기 어렵게 만들고 요요현상이 생기게 만듭니다.

그런데 비만대사수술을 받으면 오히려 GLP-1이 늘어납니다. 체중이 내려가고 있을 때도 높은 수치가 유지되면서 체중이 줄어들면서도 오히려 포만감이 잘 유지되고 당뇨병이 좋아집니다.

실제로 GLP-1 이외에도 관련된 물질들이 엄청 많고, 그 작용과 정도 서로 복잡합니다. 그래도 가장 간단하게는 비만 수술을 받으면 우리가 삭센다를 계속 맞는 것 같은 효과가 덤으로 나타난다고 설명하기도 합니다.

저 역시도 언젠가 약물치료를 못하는 상황이 오거나 혈당이 오르면 비만대사수술을 받아야 겠다고 생각하고 있습니다. 미리 받지 않는 이유는 비만 수술이 쉽고 편안한 방법은 아니기 때문입니다.

"비만 수술은 손쉬운 비만 해결방법은 아닙니다. 가혹한 다이어트를 아주 조금 편하게 만드는 것뿐입니다. 식탐, 포만감, 음식에 대한 중독은 개인이 혼자 감당하기 어려운 부분입니다. 그 감당을 조금 줄여드리는 것이고 수술 이후에도 여전히 다이어트를 지속해야 합니다."

제 모교인 순천향대병원에서 비만수술센터장이셨고, 현재는 H플러스 양지병원 비만당뇨수술센터장이신 김용진 교수님께서 해주신 말씀입니다.

15년 전 제가 학생 때 강의를 들으면서는, 수술 후 관리 부분에서 수술 없이도 저렇게 밖에 못 먹으면 살 빠지겠다고 생각했습니다. 그만큼 수술하고 난 초반에는 관리가 쉽지 않고, 그리고 수술을 했다고 해도 어떤 방식으로도 많이 먹어버리면 살이 찌니까요. 그렇지만 비만치료에 관해서 공부하고, 또 제 주변에 실제로 수술받은 사람들을 보고 나니까 생각이 많이 달라졌습니다. 살을 빼면 뺄수록 허기가 심해져야 하는데 더 먹고 싶다는 생각이 들지 않는다고. 내가 신경을 써서 관리는 해야 하는 것은 맞지만 다이어트를 할 때만큼 음식에 대한 스트레스가 내 삶을 지배하지 않는다고 말합니다. 수술받고 나서 불편한 부분도 생겼지만 그래도 몸이 가벼워지고 마음도 편해지니까 삶이 달라졌다는 이야기도 들었습니다. 그래서 앞으로도 꾸준히 비만치료를 받으면서 건강 관리를 위해 노력하다가 혹시라도 수술받는 것이 좋은 상황이 된다고 하면 단단히 결심해서 수술을 받을 예정입니다. 하루라도 더 하고 싶은 일 마음껏 하면서 살기 위해서.

Q 42. 비만대사수술 치료의 대상이 되는 기준은 어떻게 되나요?

*챗GPT4의 답변:

비만 수술에 적합한 후보자인지 결정하려면 몇 가지 요소를 평가해야 합니다. 일반적인 자격 기준은 다음과 같습니다:

1) BMI가 40 이상이거나 비만 관련 건강 상태(예: 제2형 당뇨병, 고혈압 또는 수면 무호흡증)가 있는 BMI 35 이상

2) 이전에 보존적 방법을 통한 체중 감량 시도가 실패한 적이 있는 경우

3) 수술과 관련된 위험과 헌신에 대한 이해

4) 건강한 식단 및 규칙적인 운동을 포함한 장기적인 라이프스타일 변화에 헌신할 의지가 있는 경우입니다.

가정의학과 의사나 비만 외과 전문의와 같은 의료 전문가와 상담하

여 개인의 상황을 평가하고 병력을 검토한 후 비만 수술이 본인에게 가장 적합한 선택인지 결정하는 것이 중요합니다.

*가정의학과 의사 김유현의 답변:

우리나라에서는 BMI가 35이상인 비만환자, BMI가 30이상이면서 비만의 합병증을 동반한 환자혹은 BMI 27.5 이상이면서 혈당조절 되지 않는 당뇨병 환자에게 위소매절제술과 루와이 위우회술이 건강보험 대상입니다. 2019년부터 건강보험 급여가 되었는데도 아직 많은 비만환자, 특히 고도비만이라고 흔히 부르는 BMI 35 이상의 3단계 비만환자들이 이 사실을 잘 알지 못합니다. 보통 비만은 남자의 문제라고 생각하지만 실제로 청년층(20~39세)의 3단계 비만의 증가 속도는 10년간 남자 3.8배,여자 3.5배로 함께 빠르게 늘어나고 있습니다. (2018년 기준 남자 1.85%, 여자 1.22%) 어린 나이부터 3단계 비만이 있으면 고혈압, 당뇨병 그리고 심장, 뇌혈관 질환이 나이 들어서 생길 가능성이 너무 커지기 때문에 꼭 비만 수술이 아니더라도 비만 치료는 생각해보는 것이 좋습니다.

그리고 2단계 비만 (BMI 30이상)에서는 비만의 합병증이 있는 경우라고 건강보험공단에서 규정을 했는데, 합병증을 정말 많이 포함한 폭 넓은 보험 기준을 보고 깜짝 놀랐습니다.

- 고혈압, 저환기증, 수면무호흡증, 관절질환, 비알콜성지방간, 위식도역류증, 제2형 당뇨병, 고지혈증, 천식, 심근병증, 관상동맥질

환, 다낭성난소증후군, 가뇌종양(pseudotumor cerebri)

특히 비알콜성지방간과 위식도역류증은 정말 흔하기 때문에 거의 대부분의 2단계 비만부터는 비만수술을 건강보험으로 받을 수 있을 것 같습니다.

하지만 수술이 쉬운 길이 아니기도 하고, 약물치료를 중단하는 것과 달리 되돌리기 어려운 방법이기 때문에 내가 수술받을지 약물치료를 시작해볼지 고민을 해봐야 합니다.

저 역시 2019년에 김용진 교수님께 비만수술을 상담을 받았고, 검사 결과들이 좋아서 아직은 아니라고 이야기를 들었습니다. 그래서 이때 교수님께 혈압 좀 높은 편이라고 말씀드렸더니 보험기준은 그렇지만 혈압이 경계 정도에 있는 거 하나 만으로 수술을 하자고 하기에는 다양한 비만치료제도 있는 상황에서 과할 것 같다고 알려주셨습니다. 원하면 할 수 있기는 하지만 지금 당장 추천하지는 않으신다고.

그래서 같은 BMI에서도 수술을 더 적극적으로 권유할 만한동반질환은 어떤 것인지 여쭤봤습니다.

1) **수면무호흡증**

2) **생리불순, 불임 (다낭성난소증후군)**

3) **제2형 당뇨병**

이 세 가지 질환은 인슐린저항성이 공통적으로 문제가 되고, 질환 자체 그리고 인슐린 저항성에 이어서 다양한 성인병이 더 젊은 나이에 나타나고 관리가 잘 안됩니다. 이어서 각각의 질환의 합병증인 심뇌혈관 질환도 더 빠르게 생깁니다.

그래서 이런 3가지 경우에서는 꼭 3단계 비만이 아니라고 하더라도 가능한 적극적인 치료를 받는 것이 좋다고 추천해주셨습니다.

Q 43. 비만 대사 수술은 체중을 얼마나 빠지고, 당뇨병과 고혈압과 같은 비만 동반 질환의 치료에는 얼마나 효과적인가요?

*챗GPT4의 답변:

비만 대사 수술은 상당한 체중 감소를 촉진하고 제2형 당뇨병 및 고혈압과 같은 비만 관련 건강 상태를 개선하는 데 매우 효과적인 것으로 나타났습니다. 많은 환자가 과체중이 크게 감소하는 것을 경험하며, 수술 후 첫 2년 이내에 50~70%의 체중을 감량하는 경우가 많습니다. 또한 비만 수술은 최대 85%의 환자에서 제2형 당뇨병을, 최대 75%의 환자에서 고혈압을 개선하거나 해소할 수 있습니다. 그러나 개인마다 결과는 다를 수 있으며 장기적인 성공 여부는 건강한 식단 준수와 규칙적인 운동을 포함한 환자의 생활 습관 변화에 대한 노력에 달려 있습니다. 비만 대사 수술의 잠재적 이점, 위험 및 결과에 대해 의료 전문가와 상담하는 것이 중요합니다.

*가정의학과 의사 김유현의 답변:

비만 대사 수술의 효과는 챗GPT4가 말한 내용에 딱 하나만 보태 겠습니다.

특정한 치료 방법이 건강보험 급여가 되는 것은 국민건강보험 공단에서 이 치료방법이 나라의 돈을 아껴줄 수 있다는 이야기와 같습니다.

건강보험 적용을 위해서 다양한 연구들이 비만수술의 효과 분석에 사용이 되었습니다. 그 중 우리나라 비만환자의 대사수술 효과를 비교한 논문의 결과를 요약해보겠습니다. (J Korean Surg Soc 2012;83:335-342)

<비만수술(261명) VS 약물+생활습관(224명) 18개월 후 변화>
- 체중 변화: **22.6%** VS 6.7%
- 당뇨병 관해 비율: **57.1%** VS 9.5%
- 고혈압 관해 비율: **47.1%** VS 19.8%
- 고지혈증 관해 비율: **83.6%** VS 23.6%

결국 건강보험이 적용되게 된 이유는 살이 빠졌기 때문이 아니라 체중 감소와 함께 온갖 대사질환들이 같이 좋아졌기 때문입니다. 당뇨병, 고혈압, 고지혈증이 있으면 의료비용이 꾸준히 나가게 되는데 비만수술은 이 3가지를 한꺼번에 해결해줍니다.

스위스에서 비만대사수술을 하고 15~20년 추적관찰한 결과를 봤을 때도 체중감소 여부와 상관없이 사망률이 29% 감소하고, 10년이 지나서도 당뇨병 관해가 36%까지 유지되고, 심혈관에 문제가 생기는 것과 여자들은 암도 줄여주는 것이 확인되었습니다. 이런 결과들이 나라의 의료비 지출을 장기적으로 줄여줄 수 있다는 증거가 됐습니다. 나라의 의료비 지출도 그렇지만 수술받은 본인이 나이 들면서 이런저런 문제 생길 것을 예방해줄 수 있으니 내 지갑 사정을 위해서라도 기준에 해당하면 수술적 치료를 고민해보는 것이 좋습니다.

Q 44. 비만 대사 수술과 관련된 위험, 합병증 및 잠재적 부작용은 무엇인가요?

*챗GPT4의 답변:

비만 수술은 다른 수술과 마찬가지로 특정 위험, 합병증 및 잠재적 부작용을 수반합니다. 몇 가지 일반적인 우려 사항은 다음과 같습니다:

-감염: 감염은 절개 부위 또는 내부에서 발생할 수 있습니다.

-출혈: 수술 중 또는 수술 후에 과도한 출혈이 발생할 위험이 있습니다.

-혈전: 심부정맥 혈전증(DVT) 또는 폐색전증(PE)이 발생할 수 있습니다.

-누출: 위나 장에서 누출이 발생하여 감염이나 농양을 유발할 수 있습니다.

-영양 결핍: 흡수 장애로 인해 비타민과 미네랄 결핍이 발생할 수 있으므로 보충제가 필요할 수 있습니다.

-덤핑 증후군: 음식물이 소장으로 빠르게 통과하면 메스꺼움, 구토, 설사를 유발할 수 있습니다.

-담석: 급격한 체중 감소는 담석 형성으로 이어질 수 있습니다.

선택한 비만 수술과 관련된 특정 위험 및 합병증에 대해 의료진과 상담하는 것이 중요합니다.

*가정의학과 의사 김유현의 답변:

수술에 대해서는 사실 제가 아직 받지 않았고, 가정의학과 의사로서 수술 후 추적관찰을 끌어가 본 적도 없어서 제가 [비만진료지침 2022] 내용과 함께 그동안 공부하고 강의에서 들었던 내용을 바탕으로 몇 가지만 추가하겠습니다.

일단 보충제가 필요할 수 있다고 챗GPT4가 적었지만, 대부분의 경우 미량영양소를 보충이 필요합니다. 비만약물치료 챕터에서 미량영양소에 대해서 적었던 것처럼 지방과 탄수화물 등의 에너지 대사와 식욕 등에 관여하기 때문에 적절하게 공급이 되어야 수술 후 회복과 체중 감량이 원활히 될 수 있기 때문입니다. 대한비만학회에서는 하루 섭취용량의 100%를 함유하는 고역가 종합비타민-무기질 제제와 함께 추가로 비타민B12, 칼슘, 철분제제 섭취를 권고합니다.

이런 흡수장애는 루와이위우회술에서 더 문제가 되지만, 위식도 역류는 위소매절제술에서 더 흔하게 나타납니다. 약물치료에서 어떤 약물로 치료를 할 것인지 선택할 때 어떤 부작용을 덜 불편하게 느낄 것인가를 고민했던 것처럼 비만 수술 역시도 환자의 선호도 있지만 합병증 발생 가능성 역시 염두에 두어야 합니다. 이미 위식도 역류질환이 있는 경우에는 증상이 너무 심해질 수 있어서 위소매절제술이 아닌 수술적 치료가 더 나을 수 있습니다. 또 루와이위우회술에 비해서 상대적으로 수술 후 시간이 지난 뒤 체중이 다시 증가하는 비율이 조금 더 높기 때문에 수술 주치의와 상담 및 고민 하여 결정하시길 바랍니다.

과거에는 많이 했던 조절형위밴드술은 체내에 이물질을 삽입하여 장기 합병증이 상대적으로 많아서 현재는 시술이 급격하게 줄고 있습니다. 스마트폰을 쓰다가 일정 기간이 지나면 바꾸는 것처럼 10년 이내에 30~40%가 밴드 제 혹은 교정술이 필요합니다.

그리고 이제는 대부분의 비만 수술을 복강경으로 합니다. 비만 수술이 아니더라도 비만 환자가 개복 수술을 받으면 배를 닫는 과정, 그리고 그 닫은 부분의 회복과정이 문제가 됩니다. 피하지방이 두꺼운 만큼 수술 부위 상처의 치유가 덜 되고 감염 가능성도 늘어나고 입원기간까지 길어질 수 있습니다. 그런 만큼 과거에는 개복수술로 진행되었던 비만 수술이 복강경으로 전환이 되면서 합병증의 발생이 굉장히 줄었다고 합니다.

약물치료, 수술치료 모두 결국 이 치료를 했을 때 이 사람에게 얼마나 도움이 될 것인지와 얼마나 위험할 것인지를 저울질해서 결정하게 됩니다. 그리고 건강보험 공단에서 인정한 기준에서는 수술받는 편이 건강에 좋은 사람입니다.

그리고 비만 수술 방법들을 미리 찾아보고 이 수술로 받겠다고 결정하고 진료를 받으러 가는 환자들도 있습니다. 하지만 비만 수술 전 검사들을 통해서 나에게 어떤 수술이 가장 효과적이고 덜 불편할 것인지가 달라질 수 있습니다. 조금은 열린 마음으로 진료받고, 외과 선생님의 추천을 들어보고 한 번 더 고민해서 수술을 결정하시길 바랍니다.

Q 45. 비만대사수술 후 회복 과정은 어떤가요? 정상 활동으로 복귀하는 데 얼마나 걸리나요?

*챗GPT4의 답변:

대사 수술 후 회복은 개인마다 다르며 특정 수술 절차에 따라 다릅니다. 일반적으로 환자는 다음과 같은 일정을 예상할 수 있습니다:

- 입원: 일반적으로 수술 후 1~3일, 시술 및 환자의 전반적인 건강 상태에 따라 다릅니다.
- 통증 및 불편함: 경증에서 중등도의 통증과 불편함이 1~2주 동안 지속될 수 있으며, 처방된 진통제로 관리합니다.
- 활동 제한: 가벼운 활동은 보통 1~2주 이내에 재개할 수 있지만, 격렬한 활동은 4~6주가 소요될 수 있습니다.
- 식단 진행: 환자는 액체 식단으로 시작하여 4~8주에 걸쳐 점차적으로 퓌레, 부드러운 음식, 고형 음식으로 전환합니다.

- 완전한 회복: 대부분의 환자는 4~6주 이내에 정상적인 활동을 재개할 수 있지만 수술 후 식이요법 및 생활 습관 지침을 계속 따라야 합니다.

＊가정의학과 의사 김유현의 답변:

수술 후 입원기간은 챗GPT4가 적은 내용과 같은데 회복 기간은 제가 알기로는 조금 더 길었습니다. [비만진료지침 2022]에서도 수술을 받은 환자는 약 3개월간 식사 적응에 어려움을 겪게 된다고 되어 있습니다.

그리고 다닥유현 유튜브 채널에서 위소매절제술 6개월 후에 인터뷰했던 분도 6주보다는 8주는 필요했고, 그 8주가 그냥 조금 힘들었던 정도는 아니었다고 합니다. 제가 수술을 괜히 받았다는 생각을 한 적 있는지에 대한 대답입니다.

"일단은 수술을 받으러 가는 순간부터 조금 후회했습니다. 그리고 수술 이후 2달 동안은 적응하는 과정이 너무 힘들어서 후회를 자주 했던 것 같습니다. 그리고 2달이 지나고는 수술을 정말 잘 받았다는 생각을 꾸준히 하고 있습니다."

수술 이후 적은 양을 먹어도 맛있게 배부르게 먹으면서 꾸준히 관리를 하고 있고, 몸이 가벼워지면서 자신감도 생기고 다양한 활동도 적극적으로 하고 있다고 말했습니다.

영상에서도 제가 선배님이라고 불렀는데, 추후에 수술을 받게 되면 힘든 시기를 어떤 식으로 이겨낼 수 있는지 도움을 요청해볼 생각입니다.

Q 46. 비만 대사 수술을 받은 후 식단과 생활 방식은 어떻게 바뀌어야 하나요?

*챗GPT4의 답변:

비만 수술 후에는 체중 감량을 극대화하고 장기적인 성공을 유지하기 위해 건강한 식단과 생활 방식을 채택하는 것이 필수적입니다. 몇 가지 권장 사항은 다음과 같습니다:

- 소량의 식사를 더 자주 섭취하세요: 하루에 4~6회 소량의 식사를 하면 과식 및 덤핑 증후군을 예방하는 데 도움이 됩니다.
- 단백질에 집중하세요: 단백질은 치유를 촉진하고 근육량을 보존하므로 매일 60~80g의 단백질을 섭취하는 것을 목표로 합니다.
- 고지방 및 고당분 음식을 제한합니다: 이러한 음식은 체중 회복을 방해하고 덤핑 증후군의 위험을 높일 수 있습니다.

- 수분을 충분히 섭취하세요: 매일 6~8컵의 물을 마시되, 위 주머니가 늘어나지 않도록 식사와 함께 마시는 것은 피하세요.
- 비타민과 미네랄을 섭취합니다: 흡수 장애로 인한 결핍을 예방하기 위해 보충제가 필요합니다.
- 규칙적으로 운동합니다: 체중 감량과 전반적인 건강을 위해 신체 활동에 참여합니다.

*가정의학과 의사 김유현의 답변:

일단 수술 전까지 당뇨병, 고혈압, 고지혈증 약을 처방받고 있었다면 수술 후 내 몸이 변하는 것에 맞게 약을 중단하거나 줄여야 할 수 있습니다.

탄수화물은 일반적으로 하루 130g이 필요한데, 이때 정제당(흰쌀밥, 흰 밀가루, 흰 설탕)의 비율이 높으면 체중 증가도 그렇지만 혈당 증가와 덤핑증후군이 생길 수 있습니다.

위가 줄어들면서 식사량도 분명히 줄지만, 특히 한 번에 마실 수 있는 물의 양도 수술 초기에는 엄청나게 줄어서 생각날 때마다 물을 조금씩 계속 마시는 것이 탈수를 예방에 중요합니다.

또 미량영양소 흡수가 줄어들 수 있어 보충이 필요합니다. 부족해질 수 있어서 수술 후 추적관찰을 해야 하는 영양소로 티아민, 코발라민, 메틸말론산, 비타민D, 칼슘과 부갑상선호르몬, 엽산, 철, 비타민A, 비타민K, 아연, 구리가 있습니다.

그리고 수술받았다고 운동을 하지 않아도 되는 것이 아닙니다. 수술 후 1개월부터는 주당 150~300분 정도의 유산소 운동과 주2~3회의 근력운동을 추천합니다.

Q 47. 비만대사수술 후 체중 감량을 유지하고 체중이 다시 증가하는 것을 방지하려면 어떻게 해야 하나요?

*챗GPT4의 답변:

비만 수술 후 체중 감량을 유지하려면 건강한 습관과 생활 습관의 변화가 필요합니다. 몇 가지 전략은 다음과 같습니다:

- 균형 잡힌 식단을 따르세요: 영양이 풍부한 음식을 섭취하고,
- 저지방 단백질을 우선적으로 섭취하며, 통곡물, 과일, 채소를 포함하세요.
- 식사량을 모니터링합니다: 소량의 식사를 더 자주 섭취하고 과식을 피하세요.
- 규칙적으로 운동합니다: 근력 운동을 포함하여 일주일에 150분 이상의 중간 강도의 운동 또는 75분 이상의 격렬한 강도의 운동을 합니다.
- 수분을 충분히 섭취합니다: 소화를 돕고 수분을 유지하기 위해

물을 충분히 마십니다.

- 도움을 구하세요: 지원 그룹에 가입하거나 상담을 받거나 영양
  사와 협력하여 수술 후 생활 습관 변화의 어려움을 헤쳐 나가는
  데 도움을 받습니다.
- 정기 검진 받기: 담당 의사와의 후속 진료에 참석하여 진행 상
  황을 모니터링하고 우려 사항을 해결하세요.

 *가정의학과 의사 김유현의 답변:

비만 수술 이후라고 해서 장기적인 관리 방법이 달라지는 것은 없
습니다. 김용진 교수님의 말을 적었던 것처럼 결국 다이어트를 하는
것은 똑같은데 그 혹독한 다이어트의 일부를 수술이 도와주는 것뿐
입니다.

그리고 수술이 끝나고 충분한 체중감량이 되지 않거나 수술 후에
체중이 다시 늘어날 때는 필요한 경우 비만약물치료를 보조적으로
진행하기도 합니다.

비만수술을 받았다고 끝이라 생각하면 안 되고 정기적으로 의사
를 만나면서 내가 잘 건강해지고 있는지 확인해야 합니다.

Q 48. 비만 대사 수술 비용을 보험에서 보장받을 수 있으며 본인 부담금은 얼마인가요?

*챗GPT4의 답변:

비만 대사 수술의 보험 적용 범위는 특정 보험 플랜과 국가에 따라 다릅니다. 대부분의 경우 비만대사수술은 의학적으로 필요하다고 판단되고 환자가 특정 BMI 또는 비만 관련 동반 질환과 같은 특정 자격 기준을 충족하는 경우 보장됩니다. 그러나 공제액, 자기 부담금 또는 공동 보험이 적용될 수 있습니다.

비만 수술에 대한 본인 부담금은 시술 유형, 병원비, 외과의사 비용 및 추가 비용에 따라 크게 달라질 수 있습니다. 미국에서는 시술 및 기타 요인에 따라 비용이 $15,000에서 $25,000 이상일 수 있습니다. 특정 상황과 관련된 정확한 보장 범위와 비용을 확인하려면 보험사 및 의료팀과 상담하는 것이 중요합니다.

*가정의학과 의사 김유현의 답변:

역시 미국의 의료비는 엄청 나네요. 비만 수술을 위해서는 2천만원에서 3천2백만원 정도를 잡아야 합니다. 우리나라에서는 건강보험 적용을 받기 전에는 천만원 초반 정도였다고 알고 있습니다. 그리고 건강보험이 적용되면서는 본인부담금 그리고 수술 과정에서 사용되는 비급여 항목을 고려했을 때 400만원 전후라고 합니다.

건강보험 적용 대상 고시사항은 다음과 같습니다. 꼼꼼히 읽어보고 고민 한 번 해보십시오.

<비만수술의 급여기준> 비만수술은 다음과 같은 경우에 요양급여로 인정하며, 그 외 실시한 경우에는 비급여함.

– 다 음 –

가. 1)~3) 조건을 모두 만족하는 경우

1) 적응증

가) BMI≥35kg/m2이거나, BMI≥30kg/m2이면서 합병증을 동반한 경우(고혈압, 저환기증, 수면무호흡증, 관절질환, 비알콜성지방간, 위식도역류증, 제2형 당뇨, 고지혈증, 천식, 심근병증, 관상동맥질환, 다낭성난소증후군, 가뇌종양(pseudotumor cerebri))

나) 기존 내과적 치료 및 생활습관 개선으로도 혈당조절이 되지

않는 27.5kg/m2≤BMI<30kg/m2인 제2형 당뇨환자에게 위소매절제술 및 비절제 루와이형 문합 위우회술을 시행하는 경우(이 경우 수술료와 치료재료비용은 「선별급여 지정 및 실시 등에 관한 기준」에 따라 본인부담률 80%로 적용함.)

2) '18세 이상이거나 뼈 성장 종료 확인' 시

3) 비수술적 치료로도 효과를 얻을 수 없는 비만

나. 비만수술 후 수술합병증 또는 과체중감소로 복원술을 시행하는 경우

다. 비만수술 후 수술합병증으로 교정술을 시행하거나, 18개월 이상 적극적 관리에도 상기 가.1)가)에 해당하여 교정술을 시행하는 경우

Q 49. 비만 대사 수술을 받기 전에 해야 하는 검사들은 무엇인가요?

*챗GPT4의 답변:

비만 대사 수술을 받기 전에 일반적으로 전반적인 건강을 평가하고 적합한 후보자인지 결정하기 위해 몇 가지 검사를 수행합니다. 이러한 검사에는 다음이 포함될 수 있습니다:

혈액 검사:완전 혈구 수(CBC), 종합 대사 패널(CMP), 갑상선 기능 검사(TFT), 지질 프로필,헤모글로빈 A1c(HbA1c), 응고 프로필

영상 검사:상부 위장관(GI) 시리즈 또는 바륨 삼킴 검사,복부 초음파,흉부 엑스레이, 심전도(ECG)

의사는 병력 및 특정 필요에 따라 추가 검사를 지시할 수 있습니다. 수술 전에 필요한 검사에 대해 담당 의사와 상의하세요.

*가정의학과 의사 김유현의 답변:

제가 김용진 교수님께 수술받기 위해서 수술전 검사를 했을 때 챗 GPT4가 적은 것과 거의 비슷한 검사를 받았습니다. 달랐던 부분은 위를 내시경으로 검사 받고 헬리코박터균 검사를 했다는 것과 수면 다원검사를 통해서 수면무호흡증을 확인했다는 점 정도입니다. 우리나라에서는 서양에 비해서 위의 문제가 흔하게 일어날 수 있고 헬리코박터균 감염도 많기 때문에 위내시경을 합니다. [비만진료지침 2022]에 나온 비만대사수술 전 환자 평가를 위한 체크리스트입니다.

수술 전 평가 사항
- 충분한 병력 청취(비만 동반 질환, 비만의 원인, 체중 감량 시도 등) 및 신체검사(체중, 키, 허리둘레 등)
- 기본 혈액검사(CBC, 공복혈당, 지질, 신장, 간기능 검사, 소변검사, 혈액응고 검사 등)
- 내분비계 검사(당화혈색소, 갑상선기능검사, 임상적으로 의심되는 환자에서 쿠싱증후군에 대한 선별검사)
- 수술 전 영양상태 평가 - 철(Iron), 코발라민(vitamin B12), 엽산(folic acid), 비타민 D(25-OH vitamin D) 등. 환자의 증상 및 결핍 위험도에 따라 비타민 A, E 등 추가 가능
- 심폐기능 평가(심전도, 흉부 X-ray, 과거력에 따라 필요시 심초음파 추가)

- 수면다원검사(수면무호흡증 평가)
- 상부위장관 내시경(역류성 식도염 및 열공성 탈장 유무, 위암 고위험 지역에서는 Helicobacterpylori 검사 및 위암 전구 병변 유무 확인)
- 상복부 초음파 혹은 복부 단층 촬영(담낭결석의 과거력이 있는 경우)
- 심리·사회적 상태 및 행동 평가

수술 전 준비사항

- 비만대사수술의 필요성에 대한 기술 및 기록과 수술에 대한 사전 동의
- 수술 전 체중 감량(수술 전 5% 정도)
- 혈당 및 동반 질환에 대한 적절한 조절 및 관리
- 금연(수술 6주 전)
- 수술 전후 임신 가능성에 대한 상담 및 피임 교육

Q 50. 비만 대사 수술과 지방흡입 수술의
차이점은 무엇인가요?

＊챗GPT4의 답변:

비만 대사 수술(비만 수술)과 지방 흡입술은 서로 다른 목표와 결과를 가진 두 가지 다른 시술입니다. 비만 수술은 위 크기를 줄이거나 소장의 경로를 변경하는 등 소화 시스템을 변경하여 장기적으로 상당한 체중 감량을 촉진하는 것을 목표로 합니다. 비만 수술은 고도 비만 또는 비만 관련 건강 질환이 있는 개인을 대상으로 하며, 제2형 당뇨병 및 고혈압과 같은 질환을 개선하거나 해결할 수 있습니다.

반면 지방흡입술은 식이요법과 운동에 반응하지 않는 국소 지방 축적을 제거하기 위해 고안된 미용 시술입니다. 체중 감량 솔루션이나 비만 수술의 대안이 아니며 비만 관련 건강 문제를 해결하지 않습니다. 지방흡입은 일반적으로 특정 신체 부위의 윤곽과 모양을 개선하기 위한 미용 목적으로 시행됩니다.

*가정의학과 의사 김유현의 답변:

마지막 질문까지 챗GPT4가 매우 똑똑하게 답변을 해줬습니다. 비만 수술이 건강보험이 된다는 이야기를 듣고 지방흡입수술이 건강보험 적용이 되는 거냐는 질문을 종종 받았습니다.

지방흡입수술 혹은 시술은 비만에 대한 치료 효과는 없습니다. 대신 체형교정치료의 역할을 합니다. 아무래도 체중을 감량하더라도 내가 원하는 부분이 골라서 빠지지는 않습니다. 그런 상황에서 특정한 부위의 체지방을 제거하여 내가 원하는 몸매로 만들어주는 것은 동기부여가 될 수 있습니다.

그렇지만 건강해지고 싶어서 지방흡입을 받는다는 것은 잘못된 이야기입니다. 복부비만이 건강에 안 좋다고 뱃살 지방흡입을 하더라도 지방흡입은 피하지방만 줄어들지 중요한 내장지방은 건드리지 못합니다.

건강보험이 되는 비만수술은 지방흡입이 아닌 비만 대사 수술이고, 살을 빼주면서 대사질환을 같이 치료해주기 때문에 보험이 적용이 되는 점, 기억해주세요.

맺음말

    오늘날 우리는 종종 정보에 압도되어 건강과 웰빙의 복잡한 환경을 탐색하기가 어렵습니다. 이 책을 통해서 현재 비만 치료 분야에서 인공지능과 의료 전문가가 제공하는 관점을 비교해보시길 바랍니다.

    챗GPT4는 역시나 지식과 이해도가 상당한 수준이었습니다. 지식적인 부분의 뛰어남을 기대하고 50문 100답을 시작했는데, 생각보다 뛰어난 공감적 표현능력도 겸비한 상대였습니다. 그와 함께 최적의 결과를 얻기 위해서는 전문의와 긴밀히 협력하는 것을 계속 강조한 부분도 진짜 의사의 설명 방식과 비슷하다고 느꼈습니다.

    챗GPT4의 답변을 읽고 의사로서 답변을 적으면서 인공지능이 의사를 대체할 수 있을 것인가에 대해서도 계속 고민을 해봤습니다. 결론은 '모든 의사의 일은 불가능하지만, 일정한 부분은 대체할 수 있겠다'. 특히 환자교육 관련해서는 이 정도 수준이면 '치료받다가 모르겠으면 챗GPT 찾아보세요' 라고 말할 날이 멀지 않았을 것 같습니다. 그런 만큼 앞으로 진료과정에서 어떤 부분을 인공지능에 맡기는 것이 좋을지 고민해볼 타이밍입니다.

우리나라 의료시스템상 진료시간을 충분히 쓸 수 없어서 환자에게 설명을 할 시간이 부족합니다. 그런 상황에서 상당히 정확한 정보를 알려주는 인공지능이 있다면 비만치료 과정이 훨씬 수월할 것 같습니다.

한 번 비만이 되고 나면 내 몸은 건강관리에 있어서 너무 불리해집니다. 비만에 대한 제대로 된 정보를 제공하면서 끌어주는 사람이 한 명 필요합니다. 머지않아 그 한 명은 사람이 아니라 프로그램이 될 수도 있다고 생각했습니다. 그래서 일단 제일 먼저 비만치료 과정에서 챗GPT4를 생활습관 관리를 위한 조언자로 활용해보려고 합니다. 필요한 팁을 제공하면서 의지를 북돋아주는 역할까지 할 수 있을지. 24시간 상시 대기하고 있는 코치를 잘 활용하기 위해서 이것저것 도전해볼 예정입니다.

많은 분들이 비만을 혼자 해결해야 하는 문제라고 생각합니다. 하지만 실제로는 혼자 해결하기는 너무 벅찬 문제입니다. 그동안은 '다이어트하는닥터 다닥유현과 함께' 라고 또 '비만 치료 의사와 함께' 라고 멘트를 했었습니다. 몇 년 뒤에는 '비만 치료 전문가 그리고 언제나 나의 상담을 해줄 챗봇과 함께' 라고 저의 멘트가 바뀔지도 모르겠습니다.

그래도 일단 지금은 다닥유현과 같이, 그리고 이 책과 같이 건강합시다!